言語の類型的特徴対照研究会論集

言語の類型的特徴対照研究会（編）

第3号

日中言語文化出版社

目　次
CONTENTS

サハ語における証拠性 *
Evidentiality in Sakha (Yakut)

江畑　冬生（新潟大学）
Fuyuki EBATA (Niigata University)

要　旨

　サハ語における証拠性は，過去時制の動詞語尾と文末接語により表される．サハ語の3つの過去時制のうち，遠過去時制は直接体験を含意するが，結果過去時制は直接体験ではないことを含意する．ただしこの対立は，2つの要因（主語の人称・数と談話タイプ）により部分的に中和する．文末接語は，対事的モダリティを表すものと対人的モダリティを表すものに大別できる．対事的モダリティの文末接語には，推測・伝聞・意外性を表すものがある．動詞屈折形式と伝聞の文末接語が共起する場合に，2つの過去時制形式のうちどちらが現れるのか規則を立てることは困難である．

キーワード：チュルク諸語，動詞屈折形式，文末接語，会話文と物語文

1　はじめに

　本稿ではサハ語における証拠性が，動詞屈折形式と文末接語のそれぞれによって表されることを示す．動詞屈折形式に関しては，3つの過去時制形式の使い分けに部分的に証拠性が関与すること，ただし主語の人称・数あるいは談話タイプにより部分的に中和することを明らかにする．また主節述語に

---

* サハ語は，ロシア連邦のサハ共和国を中心に話されているチュルク系の言語である．本研究は，科研費（課題番号 16KK0026, 17H04773, 18H03578, 18H00665）および東京外国語大学アジア・アフリカ言語文化研究所の共同利用・共同研究課題「「アルタイ型」言語に関する類型的研究(2)」「チュルク諸語における情報構造と知識管理 ―音韻・形態統語・意味のインターフェイス―」の支援を受けたものである．本論文における出典が明記されない例文は，筆者によるフィールドワークまたは筆者の作成したコーパス資料からの例である．

後続する文末接語によって，推測・伝聞・意外性が表されることを指摘する．

　第2節では，言語類型論における証拠性と意外性に関する議論を概観する．第3節では，チュルク諸語一般における証拠性についての研究を概観する．第4節では，サハ語の主節述語によって表される証拠性について，特に過去時制を表す3つの形式に注目して記述する．第5節では，文末接語によって表される証拠性と意外性について記述する．第6節では，証拠性が関与する動詞屈折形式と文末接語が共起する場合の振る舞いについて記述する．

2　言語類型論研究における証拠性と意外性

　本節では，言語類型論研究における証拠性・意外性に関する研究を紹介し，両概念の整理を行う．

　Aikhenvald (2006) によれば，証拠性概念は早くも Boas (1938: 133) に見られ，evidential という用語は Jakobson (1957) により導入されたという．Aikhenvald (2003: 1) による証拠性の定義は "the nature of the evidence on which a statement is based must be specified for every statement --- whether the speaker saw it, or heard it, or inferred it from indirect evidence, or learnt it from someone else" 「(前半略) 話者が見たのか，聞いたのか，それとも間接的証拠から推測したのか，あるいは他の誰かから聞いて知ったのか (筆者による訳)」となる．Aikhenvald (2006: 320) にも同様の定義が見られるが，ただし speaker の代わりに narrator が用いられる．

　Aikhenvald (2003: 1) によれば，世界の言語の約 4 分の 1 では，情報源 (information source) を特定しなければならないという ("In about a quarter of the world's languages, every statement must specify the type of source on which it is based")．Aikhenvald (2003: 63) では，証拠性に関わる意味的特性を 6 つに分類している[1]．

　本節では次に，証拠性と関連する概念の 1 つとして意外性 (mirativity) についても触れる．Aikhenvald (2012: 437) では，意外性とは以下のことが関わ

---

[1] 証拠性に関する近年の議論については，San Roque et al. (2017) 等の *Lingua* 186-187 巻に所収の諸論文も参照されたい．

る概念とされる（日本語は発表者による追加）：[2]

(i) sudden discovery, sudden revelation or realization (a) by the speaker, (b) by the audience (or addressee), or (c) by the main character;「発見」

(ii) surprise (a) of the speaker, (b) of the audience (or addressee), or (c) of the main character;「驚き」

(iii) unprepared mind (a) of the speaker, (b) of the audience (or addressee), or (c) of the main character;「心の準備がない」

(iv) counterexpectation (a) to the speaker, (b) to the addressee, or (c) to the main character;「予想外」

(v) information new (a) to the speaker, (b) to the addressee, or (c) to the main character.「新情報」

　Aikhenvald (2012) 等の研究では，証拠性と意外性は独立の概念であるとされる．ただし Aikhenvald (2004) では，証拠性を表す形式（典型的に visual ないし firsthand 以外から）の mirative extension についても論じられている．

3　チュルク諸語における証拠性概観

　本節では，チュルク諸語における証拠性の区別について，先行研究の記述に基づいた概観を行う．

　チュルク諸語では一般に，2 種類の過去時制形式が存在する．例えばトルコ語では，過去を表す接辞に-di と-miş の 2 つがある（Göksel and Kerslake 2005: 327）．この 2 つの接辞は，-di が話し手の直接体験を表し，-miş が非直接体験を表すのだとされる（Lewis 2000: 129; 林 2013: 122-123）．

　チュルク諸語の証拠性に関しては，Johanson による一連の研究がある[3]

---

[2] 意外性に関する議論については，同論文所収の *Linguistic Typology* 16 巻 3 号の他論文も参照されたい．

[3] Johanson (2003: 61) によれば，チュルク諸語の動詞屈折形式による証拠性の区別は，従属節では起こらない．Isxakova et al. (2007) からは，ロシアにおけるチュルク諸語の証拠性の研究においてもやはり，動詞の屈折形式と文末の小詞に着目されていることが分かる．チュルク諸語の中で，チベット語の影響により証拠性ストラテジーに関して大きな相違を示すのはサラル語である（Dwyer 2000; Simon 2018）．

（Johanson 2000; Johanson 2003; Johanson 2018, ただし Johanson は evidentiality の代わりに indirectivity という用語を一貫して用いている）．これらの研究では，チュルク諸語における文法的な証拠性マーカーには，主として動詞屈折形式（前述の2種類の過去時制形式）と文末の小詞（接語）が存在することを指摘している．

　チュルク諸語の1つであるサハ語においても，証拠性が関与するのは過去時制の動詞屈折形式と文末接語である．次節以降で，サハ語における証拠性の表れについて詳しく検討していくことにする．

4　主節述語により表されるサハ語の証拠性

　本節では，サハ語における証拠性のうち，動詞の屈折形式そのものが関与する部分について記述する[4]．

　サハ語の動詞語幹は，定動詞接辞が付加され主節述語として働く．定動詞接辞の中には，過去時制を表す形式が3つある（近過去接辞 (N.PST)・遠過去接辞 (PST)・結果過去接辞 (R.PST)）．これら3つの接辞による過去時制の使い分けには，部分的に証拠性も関与している．

　近過去は，行為の結果状態が現在も残存していることを含意する．近過去のこの特徴はアスペクト的なものであり，証拠性と直接は関連しない（なお以下では，「行為」とは事態の生起全般を含む広い概念として用いる）．

(1)　*sïlaj-dï-m*
　　　疲れた-N.PST-1SG
　　「私は疲れた」　　（私は現在も疲労状態にある）

(2)　*ajta*　　　*taxs-an*　　　*bar-da*
　　　PSN　　　出る-CVB　　　行く-N.PST:3SG
　　「アイタは出て行った」　　（アイタは現在も外出中である）

---

[4] 本節での記述は，部分的に江畑 (2020) の第4章の内容に基づく．なお過去時制を含む主節述語形式について，アスペクトの面から詳しく検討した先行研究に Buder (1989) がある．

4

遠過去は，話し手が行為の開始から終了までを把握していることを含意する．従って遠過去時制の文は，話し手が行為そのものを直接体験したことを含意する．

(3)　*kïhïn*　　*kuorak-ka*　　*ücügejdik*　　*sïlzï-bït-ïm*
　　　冬　　　　町-DAT　　　　良く　　　　　いる-PST-1SG
　　「冬に，私は町で楽しく過ごした」

(4)　*ije-bit*　　　*bïjïl*　　*saas*　　*öl-büt-e*
　　　母-POSS.1PL　今年　　　春　　　死ぬ-PST-3SG
　　「私たちの母は今年の春に死んだ」

　結果過去は，行為の結果のみから行為が行われたことを認識した場合に用いる．つまり結果過去時制の文は，話し手が行為そのものを直接体験したことを含意しない．

(5)　*körüdüör-ge*　　*sïppïja*　　*tüs-püt*
　　　廊下-DAT　　　　財布　　　　落ちる-R.PST:3SG
　　「廊下に財布が落ちている」

(6)　*duoska-ʁa*　　*buukuba-lar*　　*suru-llu-but-tar*
　　　黒板-DAT　　　文字-PL　　　　書く-PASS-R.PST-3PL
　　「黒板に文字が書かれている」

　結果過去時制が話し手の行為に用いられることもある．ただしこの場合には必ず非意図的な行為を含意し，話し手はやはり行為（の実行）を後から認識することになる．

(7)　　*kïtaanaxtïk*　　*utuj-bup-pun*
　　　　固く　　　　　眠る-R.PST-1SG
　　「私はぐっすりと眠ってしまった」

(8)　　*araaha*　　*ïraj-ga*　　*taxsï-bïp-pïn*　　*bïhïïlaax*
　　　　どうやら　天国　　　出る-R.PST-1SG　　様子だ
　　「私はどうやら天国に来てしまったようだ」

　このように，サハ語の3つの過去形のうち，遠過去と結果過去は話し手の直接体験か否かという点で対立している[5]．しかしながらこの対立は，2つの場合に解消されることになる．

　1つは，主語が1・2人称複数の場合である．遠過去と結果過去は，動詞語尾は共通し主語の人称・数の標示のセット（所有型かコピュラ型か）だけが異なる．主語の人称・数の標示は，1・2人称複数では所有型もコピュラ型も同形である．従って主語が1・2人称複数の場合，遠過去と結果過去は同形となる

［表1］　遠過去と結果過去の形式（*kel*「来る」の肯定形を例とする）

遠過去				結果過去			
1SG	*kelbitim*	**1PL**	***kelbippit***	1SG	*kelbippin*	**1PL**	***kelbippit***
2SG	*kelbitiŋ*	**2PL**	***kelbikkit***	2SG	*kelbikkin*	**2PL**	***kelbikkit***
3SG	*kelbite*	3PL	*kelbittere*	3SG	*kelbit*	3PL	*kelbitter*

　もう1つは，語りの場合である．対話の場合とは異なり，物語においては，

---

[5] 朴鎭浩教授（ソウル大学）の私信によれば，通言語的に過去時制において証拠性の区別が現れやすいのは，過去時制では行為が実現したことは問題とはならずに行為の実現をどのように知りえたかが問題となりやすいからだと考えられるという．これに関連して Comrie (2000: 3) も，非直接体験が結果性と関連するという言及を行っている（"In most if not all languages of the area that have an evidentiality distinction, the indirect member of the opposition is related at least historically to the semantic notion of resultativity"）．

もっぱら結果過去形が用いられる（Ubrjatova（他）1982: 312）[6]. 以下の例 (9) における一連の文では，太字で示す述語部分にはすべて結果過去形が現れている[7].

(9) *araj biirde sahïl suol ustun süür-en* **ispit**.
「ある時，キツネが道に沿って走っていた」
olus **aččïktaabït**, *ahïan* **baкarbït**.
「とてもお腹が空いていた．何か食べたかった」
biir oкoňňor sïarкaкa balïk tiejen iherin **körbüt**.
「1 人の老人がそりで魚を運んでいるのを見た」
balïk siebit kihi bert buoluo ebit dii **sanaabït** *sahïl*.
「『魚を食べられたら良いだろうな』とキツネは考えた」

このようにサハ語では，遠過去と結果過去の 2 つは証拠性により対立する．しかしながらこの対立は，主語の人称・数あるいは談話タイプにより部分的に中和する[8].

5 文末接語により表されるサハ語の証拠性

本節では，主節述語に後続する文末接語によって表される証拠性について記述する．本節の内容は部分的に江畑 (2013) に基づいている．

主節述語には，モダリティを表す接語が後続しうる（これを江畑 (2013) に倣って文末接語と呼ぶ）．文末接語には対事的モダリティを表すものと対人

---

[6] 小田 (2015: 147-148) によれば，古典日本語においても会話文と物語文において「き」「けり」の使い分けルールは異なっているという．会話文に限って言えば「き」がほぼ例外なく体験過去を表すとの説明からは，サハ語の遠過去の用法と極めて類似していることが窺える．

[7] 例(9)の最後の文では，主節述語として動詞 *sanaa*「考える」が現れた後に主語 *sahïl*「キツネ」が現れている．このような非典型的な語順は，引用標識 *dii*「と」の直後に発言動詞や思考動詞が現れやすいという傾向によるものである．

[8] サハ語の遠過去と結果過去に現れる動詞語尾-*bit* は，トルコ語の非直接体験を表す接辞-*miş* と歴史的に対応するものである．トルコ語では専ら非直接体験を表す形式が，サハ語では直接体験と非直接体験の両方に対応するという点で興味深い．

的モダリティを表すものがあり，この順で連続して現れることがある．

(10)　*ataʁ-iŋ*　　　*ütür-üö =ühü =duo*
　　　足-POSS.2SG　　治る-FUT:3SG =HS =Q
　　「君の足は治るそうですか？」

　以下では，対事的モダリティの文末接語に絞ってその用法の記述を行う．対事的モダリティを表す文末接語には伝聞 *ühü*，推測 *ini*，意外性 *ebit* の 3 つがあり，いずれも証拠性あるいは意外性と関係する．

5.1　伝聞を表す文末接語 *ühü*

　文末接語=*ühü* は，命題内容が伝聞により伝えられたことを表す[9]．

(11)　*kim =da*　　*suox =**ühü***
　　　誰 =も　　　ない:COP.3SG =HS
　　「誰もいないそうだ」

(12)　*sandal*　　*bu*　　　*kiehe*　　*tönn-ör =**ühü***
　　　PSN　　　この　　　晩　　　戻る-PRS:3SG =HS
　　「サンダルは今晩戻るそうだ」

(13)　*siider*　　*ot-u*　　*süg-en*　　*žie-ti-ger*　　*aʁal-bït-a =**ühü***
　　　PSN　　草-ACC　担ぐ-CVB　家-POSS.3SG-DAT　寄越す-PST-3SG =HS
　　「シーデルは草を担いで自分の家まで持ってきたそうだ」

5.2　推測を表す文末接語 *ini*

　文末接語=*ini* は，命題内容が推測によるものであることを表す．

---

[9] Petrov (1978: 146) によれば，*ühü* の通時的由来は名詞 *ös*「言葉」に 3SG 所有接辞が付加した形式 **öh-ö* が起源だという．現代サハ語においては，名詞 *ös*「言葉」自体は複合語の構成要素等には残るものの，単独で用いられることはほとんどない．

(14) *onno*   *mehej*   *suox* =***ini***

    そこに   邪魔   ない':COP.3SG =INFR

    「そこには邪魔はないようだ」

(15) *kehej-di-ŋ* =***ini***

    悟る-N.PST-2SG =INFR

    「君は悟ったようだね」

(16) *xajdax*   *buol-bup-pu-n*   *ihit-ti-ŋ* =***ini***

    どのように   なる-VN.PST-1SG-ACC   聞く-PST-2SG =INFR

    「私がどのようになったか，君は聞いただろう」

5.3 意外性を表す文末接語 *ebit*

　文末接語=*ebit* は，命題内容が話し手にとって新たに気づかれた内容であることを表す. (17)や(18)に見るように主として話者による意外性を含意するが，(19)のように話し手以外の視点 (この場合には主語の視点) からの意外性を表すこともある.

(17) *bukatïn*   *atïn*   *kihi* =***ebit***

    全く   他の   人 =MIR

    「[その人は] 全くの別人だった」

(18) *uol-lara*   *kel-en*   *tur-ar* =***ebit***

    息子-POSS.3PL   来る-CVB   AUX-PRS:3SG =MIR

    「彼らの息子が来ていたのだった」

(19)　vanja　　kiine-tten　　kel-le　　　　　ostuol-ga　　suruk

　　　PSN　　　映画-ABL　　来る-N.PST:3SG　　机-DAT　　　手紙

　　　sït-ar =*ebit*

　　　伏す-PRS:3SG =MIR

　　「ヴァーニャは映画から帰ってきた．机には手紙があった」

6　動詞屈折形式と文末接語の共起

　第4節では，動詞屈折形式のうち遠過去と結果過去には証拠性による対立が存在する（ただし部分的に中和する）ことを示した．第5節では，対事的モダリティの文末接語が証拠性や意外性と関係していることを示した．それでは，動詞屈折形式と文末接語が共起する場合には，どのように振る舞うのであろうか．以下では，3つの文末接語のうち伝聞 *ühü* が現れる場合のみに絞って考察を行う．

　直感的には，伝聞を表す文末接語とは結果過去（すなわち直接体験を含意しない動詞屈折形式）のみが共起するように思われる．以下の例では，結果過去時制の文に伝聞 *ühü* が現れている．

(20)　tïmïr-a　　　　　bïstï-bït=***ühü***

　　　血管-POSS.3SG　　切れる-R.PST:3SG =HS

　　「[酒を飲んで] 彼(女)の血管が切れたそうだ」

(21)　örüs　suol-a　　　　ahïllï-bït =***ühü***

　　　川　　道-POSS.3SG　　開けられる-R.PST:3SG =HS

　　「川の道が開通したそうだ」

しかしながら，遠過去時制の文に伝聞 *ühü* が現れる例も同様に見つかる．

(22)　bu　　　tübelte-ni　　kelin　beje-te　　　　　kepsee-bit-e =***ühü***

　　　この　　事-ACC　　　後で　自分-POSS.3SG　　語る-PST-3SG =HS

　　「彼(女)はこの事について，後で自分で話をしたそうだ」

(23) *anaraaŋï-ta =da*   *ulaxannïk*   *kibïstï-bït-a =ühü*
相手-POSS.3SG＝も　　大きく　　　恥じる-PST-3SG＝HS
「相手の人もかなり恥ずかしがったそうだ」

　現時点では，直接体験の含意において違いを見せる 2 つの過去時制形式が伝聞を表す文末接語と共起する場合に，その出現や制約に関して適切な規則を定めることはできていない．本稿では例を挙げて詳しく検討することはしないが，同様のことは推測を表す文末接語 *ini* に関しても言える．動詞屈折形式と文末接語が共起する場合のルールの記述は，今後解決すべき課題として残る．

7　まとめ

　本稿では，サハ語における証拠性の標示について記述を行った．多くのチュルク諸語と同様に，サハ語の証拠性も動詞屈折形式と文末接語により表される．動詞屈折形式に関して言えば，3 つの過去時制のうち，遠過去時制は直接体験を含意するが，結果過去時制は直接体験ではないことを含意する．ただしこの対立は，2 つの要因（主語の人称・数と談話タイプ）により部分的に中和する．文末接語のうち対事的モダリティを表すものは，推測・伝聞・意外性を表すという点で証拠性と関与する．動詞屈折形式と伝聞の文末接語が共起する場合に 2 つの過去時制形式のうちどちらが現れるのか，現時点では適切な規則を定めることが難しい．

略号

ABL 奪格, ACC 対格, AUX 補助動詞, COP コピュラ, CVB 副動詞, DAT 与格, FUT 未来, HS 伝聞, INFR 推測, MIR 意外性, N.PST 近過去, PASS 受身 PL 複数, POSS 所有接辞, PRS 現在, PSN 人名, PST 遠過去, Q 疑問, R.PST 結果過去, SG 単数, VN 形動詞

11

参考文献

Aikhenvald, Alexandra Y. (2003). Evidentiality in typological perspective. Alexandra Y. Aikhenvald and R.M.W. Dixon. (eds.). *Studies in evidentiality*. 1-31. Amsterdam: Benjamins.

Aikhenvald, Alexandra Y. (2004) *Evidentiality*. Oxford/New York: Oxford University Press.

Aikhenvald, Alexandra Y. (2006) Evidentiality in grammar. Keith Brown. (ed.) *Encyclopedia of language and linguistics*. [2nd edition]. vol.4, 320-325. Oxford: Elsevier.

Aikhenvald, Alexandra. Y. (2012) The essence of mirativity. Linguistic Typology. vol.16, 435-485.

Boas, Franz. (1938). Language. Franz Boas. (ed.) *General Anthropology*. Boston/New York: D. C. Heath and Company. 124-145.

Buder, Anja. (1989) *Aspekto-temporale Kategorien im Jakutischen*. Wiesbaden: Harrassowitz.

Comrie, Bernard. (2000) Evidentials: semantics and history. Lars Johanson and Bo Utas. (eds.) *Evidentials. Turkic, Iranian and neighbouring languages*. 1-12. Berlin/New York: Mouton.

Dwyer, Arienne. (2000) Direct and indirect experience in Salar. Lars Johanson and Bo Utas. (eds.) *Evidentials. Turkic, Iranian and neighbouring languages*. 45-59. Berlin/New York: Mouton.

Göksel, Aslı and Celia Kerslake. (2005) *Turkish. A comprehensive grammar*. London/New York: Routledge.

Isxakova, X.F., D.M. Hasilov, I.A. Nevskaya, and I.V. Shencova. (2007) Evidencial'nost' v tjurkskix jazykax. V.S. Xrakovskij (ed.) *Evidencial'nost' v jazykax Evropy i Azii*. 468-518. Sankt-Peterburg: Nauka.

Jakobson, Roman. (1957). *Shifters, verbal categories, and the Russian verb*. Cambridge: Harvard University.

Johanson, Lars. (2000) Turkic indirectives. Lars Johanson and Bo Utas. (eds.) *Evidentials. Turkic, Iranian and neighbouring languages.* 61-87. Berlin/New York: Mouton.

Johanson, Lars. (2003) Evidentiality in Turkic. Alexandra Y. Aikhenvald and R.M.W. Dixon. (eds.). *Studies in evidentiality.* 273-290. Amsterdam: Benjamins.

Johanson, Lars. (2018) Turkic indirectivity. Aikhenvald, Alexandra Y. (ed.) (2018) *The Oxford Handbook of Evidentiality.* 510-524. Oxford: Oxford University Press.

Lewis, Geoffrey. (2000) *Turkish grammar.* [2nd edition]. Oxford: Oxford University Press.

Petrov, N.E. (1978) *Časticy v jakutskom jazyke.* Jakutsk: Jakutskoe knižnoe izdatel'stvo.

San Roque, Lila, Simeon Floyd, and Elisabeth Norcliffe. (2017) Evidentiality and interrogativity. *Lingua.* vol.186-187: 120-143.

Simon, Camille. (2018) Evidential modalities in Salar. The development of a Tibetan-like egophoric category. *Tukic languages.* vol.22, 3-35.

Ubrjatova, E.I., et al. (eds.) (1982) *Grammatika sovremennogo jakutskogo literaturnogo jazyka.* Fonetika i morfologija. Moskva: Nauka.

江畑 冬生 (2013) 「対事的モダリティ・対人的モダリティを表すサハ語の文末接語」『北方言語研究』第 3 号, 69-83.

江畑 冬生 (2020) 『サハ語文法： 統語的派生と言語類型論的特異性』 勉誠出版.

小田 勝 (2015) 『実例詳解 古典文法総覧』 和泉書院.

林 徹 (2013) 『トルコ語文法ハンドブック』 白水社.

トゥバ語における証拠性と自己性 [*]
Evidentiality and egophoricity in Tyvan

江畑　冬生（新潟大学）
Fuyuki EBATA (Niigata University)

要　旨

　本稿ではトゥバ語の文末接辞-*dir* と疑問詞疑問接辞-*(i)l* について，証拠性および自己性と関連付けながら記述する．この 2 つの接尾辞は，わずかな例外を除けばもっぱら主節述語に付加する．文末接辞-*dir* は，名詞述語文の場合と動詞述語文の場合で異なる働きを持つ．名詞述語文に現れる場合には観察知マーカーとして働き，動詞述語文に現れる場合には証拠性機能を持つ．疑問詞疑問接辞-*(i)l* は名詞述語文のみに現れ，疑問文の答えが聞き手から得られるはずという語用論的含意を持つ．この接尾辞は疑問詞を含まない文にも現れることがあるが，この場合にも自己性と関連していると主張する．

キーワード： チュルク諸語，文末接辞，認識更新，観察知，疑問詞疑問文

1　はじめに

　本稿ではトゥバ語の文末接辞-*dir* と疑問詞疑問接辞-*(i)l* について，証拠性および自己性と関連付けながら記述する．この 2 つの接尾辞は，もっぱら述語に付加する．文末接辞-*dir* は，名詞述語文の場合と動詞述語文の場合で異なる働きを持つ．疑問詞疑問接辞-*(i)l* は，名詞述語文のみに現れる．

---

[*] トゥバ語は，ロシア連邦のトゥバ共和国を中心に話されているチュルク系の言語である．本研究は，科研費（課題番号 16KK0026, 17H04773, 18H03578, 18H00665）および東京外国語大学アジア・アフリカ言語文化研究所の共同利用・共同研究課題「「アルタイ型」言語に関する類型的研究(2)」「チュルク諸語における情報構造と知識管理—音韻・形態統語・意味のインターフェイス—」の支援を受けたものである．本論文における出典が明記されない例文は，筆者によるフィールドワークまたは筆者の作成したコーパス資料からの例である．

第2節では，言語類型論における証拠性関連概念に関する議論を概観する．
第3節では，トゥバ語の証拠性ストラテジーの概観を行う．第4節では，文
末接辞-*dir* の名詞述語文における用法を記述し，この接尾辞が認識更新マー
カーとして機能することを示す．第5節では，文末接辞-*dir* の動詞述語文に
おける用法を記述し，この接尾辞が証拠性マーカーとして働くことを示す．
第6節では，疑問詞疑問接辞-*(i)l* が疑問詞疑問文以外に現れる場合の用法を
記述し，この接尾辞の出現が自己性と関連していると主張する．

2　証拠性関連概念：　自己性と定着知・観察知

　言語類型論研究における証拠性概念に関する整理に関しては，本論集所収
の江畑 (2021) の第2節を参照されたい．本節では証拠性と大きく関連する
概念としてまず自己性を取り上げ，次いで「定着知」「観察知」の区別につい
て概観する．

　証拠性と関連する1つの概念として，自己性 (egophoricity) がある．自己
性の特徴は，表1に示すように，平叙文の話し手と疑問文の聞き手が同様に
マークされる点である（表1は San Roque et al. (2018: 5) を参考に作成）．

［表1］　自己性による人称と文タイプの相関

	平叙文	疑問文
1人称	EGO	NON-EGO
2人称	NON-EGO	EGO
3人称	NON-EGO	NON-EGO

　Widmer and Zúñiga (2017: 420) によれば，自己性は比較的新しく注目された
概念であり，一般に受け入れられた定義はまだ無い[1]．Widmer and Zúñiga (2017:

---

[1] 自己性 (egophoricity) に関しては，Aikhenvald (2004: 127), Dixon (2010: 222), San Roque
et al. (2018: 6-9) などに詳しい整理がある．また Bickel and Nichols (2007: 223) の脚注19
にあるように，conjunct, locutor, egophoric, subjective, congruent などが同様の概念を表す
用語として用いられている．風間 (2013) などが扱う感情述語の人称制限も，自己性に
関連付けられている．

422) では，自己性は証拠性とも認識モダリティとも異なる概念だとされる．自己性が証拠性の下位概念であるとする主張もあるが，Widmer (2020) では両概念が相互に独立していると主張される．筆者も，両概念は独立のものであると考える．

　話し手の事態に対する知識については，チベット語に関する研究が参考になる．星 (2003: 6) では，現代チベット語ラサ方言の記述において，定着知と観察知の区別を次のように行っている．

> 　「定着知」とは，話し手が語ろうとしている事柄が話し手にとって既に把握し，定着している知識のことである．定着知について述べるということは，話し手が<u>既に持っている知識に基づいて述べる</u>ことを指す．
> 　「観察知」とは，話し手が語ろうとしている事柄が話し手にとって観察・知覚して得た新しい知識のことである．観察知について述べるということは，話し手が叙述する事態を自らの感覚で見たり，感じたりして得た<u>新しい知識に基づいて述べる</u>ことを指す．
>
> 星 (2003: 6)，下線は筆者による

　アムド・チベット語に関する海老原 (2019) の 7.3 節でも，「定着知」「観察知」の用語を用いている[2]．筆者の見方では，トゥバ語の文末接辞-*dir* の分析にも観察知が関わっている．

3　トゥバ語の証拠性概観

　本節では，トゥバ語における証拠性ストラテジーの概観を行う．トゥバ語では，動詞屈折形式が証拠性の違いを表し分けることはない[3]．文末接語には，

---

[2] 海老原 (2019: 241) では，証拠性の下位カテゴリとして「定着知」「観察知」「推量」の 3 つを含めている．また海老原 (2019) の 7.4 節では，ウチ／ソトの対立を認識モダリティの一種として解釈する．ただしウチ／ソトは，証拠性ストラテジーの 1 つとして扱われることも多いのだという．証拠性，自己性，ウチ／ソト，定着知・観察知を巡る議論と用語の整理は，将来の課題であると言えよう．

[3] 過去時制を表す形式として，動詞語尾に-*di* と-*gan* の 2 つがある（Krueger (1977) の用語では past categorical と past indefinite）．ただし両形式の意味的相違は，証拠性の問

17

čadavas「〜かもしれない」や *magatčok*「〜に違いない」のような認識モダリティを表すものに加え，次のような推測を表す諸形式もある：*boor*（推測），*ijnaan*（推測），*iškaš*（推測）．ただしこれらの形式は，証拠性に関して義務的な対立をなすのではなく，あくまで付加的に現れるものである．従って本稿では，動詞屈折形式と文末接語については考察の対象とはしない．

　以下の各節では，先行研究で証拠性に関わるとされる文末接辞-*dir*（動詞述語文の述語または名詞述語文に付加される）と，江畑 (2018) で自己性が関与すると主張した疑問詞疑問接辞-(*i*)*l*（名詞述語文のみに付加される）について記述する．

4　名詞述語文における文末接辞-*dir*の用法

　本節では，名詞述語文における文末接辞-*dir* の用法を検討する[4]．トゥバ語では，名詞と形容詞が形態統語法的に同様に振る舞う．従って以下の「名詞述語文」には形容詞が述語となる場合も含まれる．関連して *bar*「ある/いる」と *čok*「ない/いない」を述語とする文も，名詞述語文の1つとなる．本節の議論は，江畑 (2019) の内容に基づいている．

　Anderson and Harrison (1999: 89) では，文末接辞-*dir* は断定または証拠性 (assertive or evidential) の機能を持ち，非動詞述語文においては義務的である (quasi- or emerging copular form ... obligatory in sentences that lack verbs) と記述されている．しかしながら文末接辞-*dir* を決して用いることができない語用論的状況が存在することを考慮すると，この考え方では当該の形式の語用論的機能を説明することが不可能である．本節ではまず疑問詞疑問文に注目し，文末接辞-*dir* の機能に説明を与える．

題を抜きにしても説明困難であることが Anderson and Harrison (1999: 40) により指摘されている．

[4] 文末接辞-*dir* は，母音調和と頭子音交替による8つの異形態（-*dir*, -*dir*, -*dür*, -*dur*, -*tir*, -*tir*, -*tür*, -*tur*）を持つ．この形態素は接語のようにも思われるが，筆者は2つの理由により接辞であると考える．第1に，前述の異形態の現れ方は他の接辞と同様である．第2に，文末接辞-*dir* と同様にもっぱら述語に付加する形態素が他に3つあり（このうちの1つが疑問詞疑問接辞-(*i*)*l* である），これらもやはり接辞として解釈されうる．なお4つの文末接辞は相補的に現れる．

18

疑問詞疑問文において，文末接辞-*dir* が現れる場合と現れない場合がある．江畑 (2019) では，疑問詞疑問文での文末接辞-*dir* の使用に関する規則を提案した．本稿ではこれを上述語定着知・観察知とも関連付け，次のように説明する．

> 文末接辞-*dir* は，疑問文への答えが聞き手の知識から得られると想定されるときには現れない（定着知の場合にはこの形式を用いない）．
> 文末接辞-*dir* は，疑問文への答えが聞き手の知識からは得られないと想定されるときに用いられる（観察知の場合にはこの形式が必要）．

例文(1)では，話し手は「聞き手が答えを知っている」と想定する（この場合には文末に疑問詞疑問接辞-(*i*)*l* が現れる）．一方(2)は，話し手と聞き手がその答えを共に考えなければならない状況で用いられる．

(1)　　*bo*　　　*čü-l*
　　　これ　　　何-WHQ
　　「これは何？」　（話し手は聞き手から答えが得られると想定）

(2)　　*bo*　　　***čü-dür***
　　　これ　　　何-DIR
　　「これって何だろう？」　（話し手は聞き手も知らないだろうと想定）

時刻を尋ねる際，文末接辞-*dir* はほとんど常に現れる．これも先の規則により説明可能である．現在時刻を知識として持っている人は普通いないからである．(3)に答える際，（一般的には腕時計を見るなどの行為により）時刻を確認する必要がある．つまり疑問文の答えが聞き手の知識から得られるとは想定されないことになる．なおこれに対する答えにも，(4)のように文末接辞-*dir* が現れることになる．

(3)　　*am*　　　*kaš*　　　　*šak-**tïr***

　　　今　　　いくつ　　　時-DIR

　「今何時ですか？」

(4)　　*am*　　　*üš*　　　*šak-**tïr***

　　　今　　　3　　　時-DIR

　「今 3 時です」

　一方で聞き手の知識を頼りにする疑問文では，文末接辞-*dir* は現れない．
これには(5)のように話し手が答えを知らない場合と，(6)のように話し手が答
えを知っている場合（いわゆるクイズ疑問文）がある．

(5)　　*ad-iŋar*　　　　　　*kïm-ïl*

　　　名前-POSS.2HON　　　　誰-WHQ

　「お名前は何ですか？」

(6)　　*bir*　　　*šak-ta*　　　*minut*　　　*kaž-ïl*

　　　1　　　時間-LOC　　　分　　　いくつ-WHQ

　「1 時間には何分ある？」

　反語のように聞き手の知識の有無が関与しない場合にも，文末接辞-*dir* は
現れない．

(7)　　*kaynaar*　　　*bar-zïmza*　　　*eki-l*

　　　どこに　　　行く-COND.1SG　　　良い-WHQ

　「私はどこに行けば良いのだろうか？」

　次に平叙文の場合を見る．上述のように，先行研究では，文末接辞-*dir* の
機能を証拠性と関連付けている．しかしながら名詞述語文における文末接辞
-*dir* の使用においては，情報入手経路（言い換えれば直接体験か否か）は無

関係である．例えば(8)は，実際に戸外に出て寒さを感じ取った場合にも，単にテレビの気象ニュース等を介して知った場合にも用いることができる．

(8) *tokio-da*　　*sook-**tur***
　　東京-LOC　　寒い-DIR
　「東京は寒いなぁ」

　名詞述語文において文末接辞-*dir* が現れる動機になるのは，「東京は寒い」ことを**話し手が新たに認識**したという点である．江畑 (2019) では田窪 (2010:146) の談話管理理論を参考にこれを認識更新と呼んだが，これも観察知の表れと見なせる．一方で話し手が経験的知識として「東京は寒い」ことを知っている（つまり定着知である）場合には，(8)に代えて文末接辞-*dir* を欠く文を用いることが可能である．
　例文(9)は，文字通りに「私はいる」を意味する文としては成立しにくい．このことの理由も，話し手自身が存在することは予め知っているはずだからである．しかし特別な語用論的状況を作れば，認識更新が発生し(9)も成立することになる．例えば名簿の中から自分の名前を発見したという場合には，観察知を表すことになり(9)も問題なく成立する．

(9) *(men)*　　*bar-**dir** =men*
　　(1SG)　　いる-DIR =1SG
　「(?? 私はいる)　／ 私の名前がリストにある」

　一方で(10)や(11)のような普遍的真理やことわざは，話し手の既存の知識から述べられるため，認識更新が起こらない典型例になる．そのためこれらの場合には，文末接辞-*dir* を含まない文が現れる．

(10) *on*　　*kazï-ïr*　　*beš*　　*bol-ur-u*　　*beš*
　　10　　引く-AOR　　5　　なる-AOR-POSS.3　　5
　「10 引く 5 は 5」

(11) *köš-ken-de*   *teve* *xerek* *čok,* *keš-ken-de*
   移る-PST-LOC ラクダ 必要 ない 渡る-PST-LOC

   xeme *xerek* *čok*
   船   必要 ない
   「移動した後にはラクダは不要，渡河した後には船は不要」

　先に見た疑問詞疑問文における文末接辞-*dir* は，聞き手の側に認識更新が発生することを想定していると言える．これは肯否疑問文についても同様である．ただし疑問文での認識更新は，疑問文が発話される直後にも直前にも発生する．

　例文(12)は，聞き手（何かを食べた直後の人）に認識更新が起こったことを前提として発せられる[5]．一方で例文(13)は，疑問文を発した後に認識更新が起こる例である．

(12) *amdannïg-**dïr**=be*
   おいしい-DIR=Q
  「（何かを食べた人に）おいしいでしょう？」

(13) *mïnda* *častïrïg* *bar-**dïr**=be* *xïna-p*   *kör*
   ここに 間違い ある-DIR=Q 確認する-CVB 見る(IMP.2SG)
   「ここに間違いがあるでしょう？　確かめてみて」

　肯否疑問文においても，話し手の知識から応答可能な（つまり認識更新が不要な）場合には文末接辞-*dir* が現れない．

---

[5] 肯否疑問文における文末接語-*dir* の機能は，日本語のダロウにおける「確認要求」の用法と似ている（森山 (1992)）．

22

(14) *ayma-aŋar-da*　　　　　*baškï-lar*　　　*bar =be*
　　　一族-POSS.2HON-LOC　　　先生-PL　　　　いる =Q
　　「あなたの一族のうちに教師はいますか？」

　平叙文においても，文末接辞-*dir* が話し手ではなく聞き手の認識更新と関
わる場合が存在する．(15)や(16)のように，聞き手に対し説明を行う場合にも
文末接辞-*dir* が現れる（この時に話し手には認識更新が起こっていない）．

(15)　　*bo*　　　*me-eŋ*　　　*bažïŋ-da*　　　*telefon-um-**dur***
　　　　これ　　　1SG-GEN　　　家-LOC　　　　電話-POSS.1SG-DIR
　　「（名刺を差し出しながら）これは私の自宅電話番号です」

　　　　　　　　　　　　　　　　　　　　　　　　　　［中嶋 (2008: 17)］

(16)　　*bažïŋ-ïvïs*　　　　*bo-**dur***
　　　　家-POSS.1PL　　　　これ-DIR
　　「私たちの家はこれです」　　　　　　　　　　　　［中嶋 (2008: 9)］

5　動詞述語文における文末接辞-*dir* の用法

　本節では文末接辞-*dir* が動詞述語文に現れる場合を検討する．動詞述語文
における文末接辞 *dir* の出現頻度は高くはないが，動詞の様々な活用形に付
加しうる（Isxakov and Pal'mbax 1961: 373, 383; Ooržak 2012, Ooržak 2014: 87-95,
113-122）[6].
　動詞述語文の文末接辞-*dir* には，大きく分けて推測用法と非視覚的用法が
ある．例文(17)から(19)は，典型的な推測用法の例である．

---

[6] 筆者が調べた限り，文末接辞-*dir* は以下の動詞形式に付加しうる：-*(i)p* 副動詞形,
-*a* 副動詞形，否定副動詞形，アオリスト形（肯定・否定），-*gan* 過去形（肯定・否定），
-*bïšaan* 継続形．これらの形式には定形も非定形も含まれるが，非定形に文末接辞-*dir*
が付加した場合にも主節述語として振る舞うことになる．

23

(17) *xar   ča-ar-**dïr***
　　雪　　降る-AOR-DIR
「雪が降りそうだ」

(18) *eki   düš   düže-en-**dir** =sen,   ogl-um*
　　良い　　夢　　夢見る-PST-DIR =2SG　　息子-POSS.1SG
「君は良い夢を見たようだね，息子よ」

(19) *dagïn   emcile-p   a-ar   bol-gan-**dïr** =siler*
　　再び　　医者にかかる-CVB　　AUX-AOR　　なる-PST-DIR =2HON
「あなたはもう一度医者にかかった方が良いようだ」

　このように推測用法では，基本的に話し手以外が主語となる．ただし，話し手が主語であっても文が成立する 2 つの場合がある[7]．第 1 に，意図的でない行為の遂行に後から気づいた場合には，話し手を主語とする推測用法が成立しうる．

(20) *čaz-ïpkan-**dïr** =men*
　　間違える-PRF-DIR =1SG
「私は間違えてしまったようだ」

(21) *az-a   ber-ip-**tir** =men*
　　迷う-CVB　　AUX-CVB-DIR =1SG
「私は道に迷っているようだ」

　第 2 に，これから起こる出来事で話し手の意図によりコントロールできないような事態の場合にも，話し手を主語とする推測用法が成立する．

---

[7] これは Aikhenvald (2014: 30) などで指摘される first person effect の 1 つと言える.

(22)　*küzün*　　*aŋna-ar -dir =men*
　　　　秋に　　　　狩りをする-AOR-DIR=1SG
　　　「私は秋には狩りをすることになるだろう」

(23)　*čayla-ar-dir =bis*
　　　　避ける-AOR-DIR=1SG
　　　「（対向車が来たので）私たちは避けなければいけない」

　次に，非視覚的用法の例を検討する．非視覚的用法ではまず，聴覚や触覚により得た情報を述べる場合がある．この場合には，話し手が認識主体となる（例が示すように主語が話し手とは限らない）．

(24)　*kuš-tar*　　*et-ken-i*　　　　*dïŋna-l-ï-dir*
　　　　鳥-PL　　　言う-PST-POSS.3　　聞く-PASS-CVB-DIR
　　　「鳥たちの鳴き声が聞こえる」　　　　　　　　［中嶋 (2008: 79)］

(25)　*čaag-ïm*　　*üžü-y*　　　*ber-ip-tir*
　　　　頬-POSS.1SG　凍える-CVB　AUX-CVB-DIR
　　　「私の頬が凍えてきた」

　非視覚的用法の1つに，心的状態を述べるものがある．この用法における述語は，*boda*「考える」，*sana*「みなす」，*sagïn*「覚えている」，*küze*「望む」などの思考動詞か，あるいは接尾辞*-(i)ksa*「〜したい」の付加した動詞に限られる．心的用法の主語は話し手であるが，疑問文では聞き手が主語となる．

(26)　*ažïl-dï*　　*daarta*　　*doozar*　　*dep*　　*boda-y-dir =men*
　　　　仕事-ACC　明日　　　終える　　　と　　　考える-CVB-DIR=1SG
　　　「私は仕事を明日終えようと考えています」

(27) *siler-niŋ =bile* *sümelež-ir-**dir** =men*
2HON-GEN =INST 相談する-AOR-DIR =1SG
「あなたとご相談したいです」 ［Anderson and Harrison 1999: 20］

(28) *kanďig* *nom* *al-iksa-y-**dir** =siler*
どんな 本 取る-DES-CVB-DIR =2HON
「あなたはどんな本を買いたいですか？」 ［中嶋 (2008: 79)］

以上のように，動詞述語文での文末接辞-*dir* は証拠性機能（推測用法と非視覚的用法）を持つ．推測用法における主語は話し手以外であり（ただし非意図的な話し手も含まれる），非視覚的用法における認識主体は話し手である．非視覚的用法の1つに心的用法があり，心的用法の主語は話し手であるが疑問文では聞き手になる（表 2）．心的用法に限って言えば，文末接辞-*dir* の表れ方は自己性とも関わっている．

［表2］ トゥバ語の文末接辞-*dir* の動詞述語文での用法と人称制約

	主語・認識主体
推測用法	話し手以外（非意図的話し手含む）
非視覚的用法	話し手
心的用法	話し手（疑問文では聞き手）

6 名詞述語文のみに現れる疑問詞疑問接辞-(*i*)*l* の用法

疑問詞疑問接辞-(*i*)*l* は，名詞述語文にのみ出現可能である[8]．この接辞は，疑問詞疑問文で必須の要素ではない．疑問詞疑問文で疑問詞疑問接辞-(*i*)*l* が現れる場合，疑問文の答えが聞き手から得られる（はずだと話し手が想定する）という語用論的な含意がある（第4節の例文(5), (6)を参照）．

江畑 (2018) では疑問詞疑問接辞-(*i*)*l* が疑問文以外にも存在否定文（*čok*「な

---

[8] 疑問詞疑問接辞-(*i*)*l* は，母音調和と音節構造による5つの異形態（-*il*, -*ıl*, *ül*, -*ul*, -*l*）を持つ．

い/いない」を述語とする文）にも現れることを指摘した．以下の例のように，存在否定文の主語には，平叙文では 1 人称の感情名詞が，疑問文では 2 人称の感情名詞が現れやすい．疑問詞を含まない存在否定文において疑問詞疑問接辞-(i)l が現れるのは話し手のみが情報にアクセス可能な場合である（対照的に肯否疑問文では聞き手のみが情報にアクセス可能）．このことから江畑 (2018) では，疑問詞疑問接辞-(i)l の出現には自己性が関わると結論付けた．

(29)　*meeŋ*　　　*dĭstan-ïr*　　*küzel-im*　　　*čog-**ul***
　　　1SG-GEN　　休む-AOR　　希望-POSS.1SG　　ない-WHQ
　　「私は休みたい気持ちがない」　　　　　　　　　　　[Dambaa・高島 (2008 : 44)]

(30)　*čoru-ur*　　　　*xöŋn-üŋ*　　　　*čog-**ul** =be*
　　　行く-AOR　　　気分-POSS.2SG　　ない-WHQ=Q
　　「君は行く気がないのか？」

　筆者のその後の調査により，疑問詞疑問接辞-(i)l が疑問詞を含まない文に現れるケースとしては，*ïškaš*「～のようだ」を述語とする場合もあることが分かった．

(31)　*bis-te*　　*aalčï*　　*kel-gen*　　*ïškaž-**ïl***
　　　1PL-LOC　　お客　　来る-PST　　ようだ-WHQ
　　「私たちの所にお客が来たようだ」

(32)　*am =daa*　*ažïlda-p*　　*šïda-ar*　　*kiži*　　*ïškaž-**ïl** =men*
　　　今 =EMPH　働く-CVB　できる-AOR　人　　ようだ-WHQ=1SG
　　「私は今でも働ける人のようだ」

　ただし *ïškaš*「～のようだ」を述語とする文に疑問詞疑問接辞-(i)l が付加した場合，さらに=be を後続させて肯否疑問文を作ることはできなかった（コーパス資料から例文が見つからず，作例も非文だと判断された）．*ïškaš*「～の

ようだ」を述語とする文が話し手の判断のみに依拠しうるのだと考えれば，疑問詞疑問接辞-(i)l はやはり自己性と関わることになる．この点も含め，この形式の語用論的機能をより精密に記述することが今後の課題となる．

7 まとめ

　本稿では，トゥバ語の文末接辞-dir と疑問詞疑問接辞-(i)l の用法について証拠性および自己性と関連付けながら記述を行った．文末接辞-dir は，名詞述語文にも動詞述語文にも現れる．名詞述語文に現れる場合には観察知マーカーとして働き，動詞述語文に現れる場合には証拠性機能を持つ（推測用法と非視覚的用法がある）．非視覚的用法の 1 つに心的用法がある．心的用法の主語は話し手であるが，疑問文では聞き手になる．つまり，心的用法の文末接辞-dir の表れ方は自己性にも関わる．疑問詞疑問接辞-(i)l が疑問文に現れる場合，疑問文の答えが聞き手から得られるという語用論的な含意がある．この接尾辞は，疑問詞を含まない文（非疑問文）にも現れうる．その 1 つに存在否定文がある．存在否定文において疑問詞疑問接辞-(i)l が現れるのは，話し手のみが情報にアクセス可能な場合（対照的に肯否疑問文では聞き手のみが情報にアクセス可能な場合）であるため，ここにも自己性が関与している．iškaš「〜のようだ」を述語とする文にも疑問詞疑問接辞-(i)l が現れうるが，この場合にはどのような語用論的機能を持つのか，詳しく検討する必要がある．

略号

ACC 対格，AOR アオリスト，AUX 補助動詞，COND 条件，CVB 副動詞，DES 願望，DIR 文末接辞-dir, EMPH 強調，GEN 属格．HON 尊敬，IMP 命令法，INST 具格，LOC 処格，PASS 受身，PL 複数，POSS 所有接辞，PRF 完了，PST 過去，Q 疑問，SG 単数，WHQ 疑問詞疑問接辞

参考文献

Aikhenvald, Alexandra Y. (2004) *Evidentiality*. Oxford/New York: Oxford University Press.

Aikhenvald, Alexandra. Y. (2014) The grammar of knowledge: a cross-linguistic view of evidentials and the expression of information source. Alexandra Y. Aikhenvald and R.M.W. Dixon. (eds.) *The grammar of knowledge*. 1-51. Oxford: Oxford University Press.

Anderson, Gregory D. and K. David Harrison. (1999) *Tyvan*. München: Lincom Europa.

Bickel, Balthasar and Johanna Nichols. (2007) Inflectional morphology. Timothy Shopen (ed.) *Language typology and syntactic description. Volume 3: Grammatical categories and the lexicon*. [2nd Edition]. Cambridge: Cambridge University Press. 169-240.

Dixon, R.M.W. (2010) *Basic linguistic theory. Volume 2: Grammatical topics*. Oxford: Oxford University Press.

Isxakov, F.G. and A.A. Pal'mbax. (1961) *Grammatika tuvinskogo jazyka. Fonetika i morfologija*. Moskva: Izdatel'stvo Vostočnoj Literatury.

Krueger, John R. (1977) *Tuvan manual*. Bloomington: Indiana University Press.

Ooržak, Bajlak. (2012) Die perzeptive Verbform -AdIr im Tuwinischen. Marcel Erdal, Irina Nevskaya and Astrid Menz (eds.) *Areal, historical and typological aspects of South Siberian Turkic*. 91-96. Wiesbaden: Harrassowitz.

Ooržak, B.Č. (2014) *Vremennaja sistema tuvinskogo jazyka*. Moskva: Jazyky slavjanskoj kul'tury.

San Roque, Lila, Simeon Floyd, and Elisabeth Norcliffe. (2018) Egophoricity: An introduction. Simeon Floyd, Elisabeth Norcliffe, and Lila San Roque (eds.) *Egophoricity*. Amsterdam/Philadelphia: John Benjamins.

Widmer, Manuel. (2020) Same same but different: on the relationship between egophoricity and evidentiality. Seppo Kittilä and Henrik Bergqvist (eds.) *Evidentiality, egophoricity and engagement*. Berlin: Language Science Press.

Widmer, Manuel and Fernando Zúñiga. (2017) Egophoricity, involvement, and semantic roles in Tibeto-Burman languages. *Open Linguistics*. vol.3(1), 419-441.

江畑　冬生 (2018)　「トゥバ語の疑問詞疑問接辞の否定文での用法：egophoricity からの説明」『日本言語学会第 157 回大会　予稿集』342-347.

江畑　冬生 (2019)　「トゥバ語の証拠性を表すとされる接辞 *-dir* の機能：話し手・聞き手の認識からの説明」　『北方言語研究』　第 9 号, 31-39.

江畑　冬生 (2021)　「サハ語における証拠性」　『言語の類型的特徴対照研究会論集』第 3 号, 1-13.

海老原　志穂 (2019)　『アムド・チベット語文法』　ひつじ書房.

風間　伸次郎 (2013)　「アルタイ型言語における感情述語」『北方人文研究』　第 6 号, 83-101.

田窪　行則 (2010)　『日本語の構造 推論と知識管理』　くろしお出版.

Dambaa, O.V.・高島　尚生 (2008)　『トゥヴァ語会話集』　東京外国語大学アジア・アフリカ言語文化研究所.

中嶋　善輝 (2008)　『トゥヴァ語基礎例文 1,500』　東京外国語大学アジア・アフリカ言語文化研究所.

星　泉 (2003)　『現代チベット語動詞辞典（ラサ方言)』　東京外国語大学アジア・アフリカ言語文化研究所.

森山　卓郎 (1992)　「日本語における「推量」をめぐって」　『言語研究』　第 101 号, 64-83.

Evidentiality in Sibe

児倉　徳和（東京外国語大学 AA 研）
Norikazu KOGURA (ILCAA, Tokyo University of Foreign Studies)

要　旨

The present paper deals with the definition of evidentiality and the position of mirativity and egophoricity in the category of evidentiality, based on the analysis of the function of some elements in Sibe (Manchu-Tungusic). The present paper proposes a system of evidentiality that includes a source of information, the reliability of the information and knowledge, the distinction of whether information or knowledge is assimilated to other information or knowledge, and the distinction between newly obtained information and fixed knowledge.

キ ー ワ ー ド : Sibe, evidentiality, mirativity, egophoricity, knowledge management

1. Preliminary: On the definition of evidentiality

This paper addresses two issues: (i) How should evidentiality be defined, and (ii) How should mirativity and egophoricity be addressed in the discussion of evidentiality? There has been much discussion of the definition of evidentiality, and some relevant categories such as mirativity and egophoricity have been explored as independent categories regarding their treatment in the grammar as a whole. This paper will discuss these issues, with a main focus on Sibe,[1] a Manchu-Tungusic language spoken in

---

[1] In this paper, Sibe is written using a phonemic transcription based on Kubo et al. (2011). The phonemic inventory of Sibe is as follows: /a, e, i, o, u, p, b, t, d, k, g, q, G, K, f, s, x, χ, X, š, c, j, r, l, m, n, ŋ, N, y, w/. Here, /X/ stands for the archiphonemes of /x/ and /χ/, and /K/ stands for the archiphonemes of /k/ and /q/. In addition, ' ' stands for a marked accent, '#' stands for a syllable boundary in Chinese words, '-' stands for a suffix boundary, and '=' stands for a clitic boundary.

Northwestern China. The main claim of the paper is as follows: (i) The organization of evidentiality will be properly and holistically described by assuming the matching of new information and knowledge which is already stored in the memory; (ii) in Sibe, mirativity is defined as a category whose value is 'assimilated' vs. 'non-assimilated,' and this value can be applied not only to new information but also to fixed knowledge of the interlocutors; and (iii) egophoricity as well as mirativity can be properly placed in the grammar by adopting Chafe's (1986) definition of evidentiality in the 'broad sense.'

2. Theoretical background: Toward a comprehensive analysis of evidentiality

The main aim of this paper is to examine the organization of evidentiality by examining the placement within it of categories relevant to evidentiality, especially mirativity and egophoricity. In this section, we will discuss issues regarding the views of the organization of evidentiality that have been proposed in the literature, with a focus on the definition of evidentiality and the place of mirativity and egophoricity in evidentiality.

2.1 Evidentiality

The main concern about evidentiality is the definition, especially, so to speak, the 'broad sense' and 'narrow sense' definitions of evidentiality. The term 'broad sense' of the definition of evidentiality was proposed by Chafe (1986) as follows:

I need to stress that I am using the term 'evidentiality' in its broadest sense, not restricting it to the expression of 'evidence' per se. I will discuss a range of epistemological considerations that are linguistically coded in spoken and written English. 'Evidence,' taken literally, is one of these considerations, but not the only one. What gives coherence to the set under discussion is that various linguistic expressions slide across more than one of the various types within this domain. The refusal of linguistic expressions to restrict themselves to evidence in the narrow sense can be found not only in their synchronic behavior, but also diachronically, where extensions and shifts among these various epistemological considerations are by no means rare (see especially Mithun, this volume).

(Chafe 1986:262)

Chafe (1986) proposes following model of the categories relevant to evidentiality, which comprise source of knowledge, mode of knowing, reliability of knowledge, and the matching against other resources.

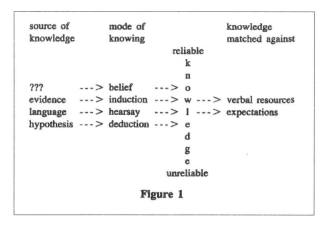

Figure 1. Framework of categories relevant to evidentiality (Chafe 1986:263)

A 'narrow sense' definition of evidentially was proposed by Aikhenvald (2003, 2004). Aikhenvald (2003:1) states, 'Evidentiality proper is understood as stating the existence of a source of evidence for some information; this includes stating that there is some evidence, and also specifying what type of evidence there is,' and in Aikhenvald (2004:3), evidentiality was defined as 'a linguistic category whose primary meaning is source of information.' The difference between broad sense and narrow sense evidentiality is typically seen in the analysis of mirativity. We will see the issues related to the placement of mirativity in grammar, especially in evidentiality, in the next sections.

2.2 Mirativity

The difference between the 'broad sense' and 'narrow sense' definitions of evidentiality suggests how to deal with mirativity, and in particular whether mirativity is included in evidentiality. Mirativity was mentioned by Akatsuka (1985) in the discussion of modality, and later illuminated by DeLancey (1997, 2001) as a grammatical category: 'The operational definition of the category is that it marks both statements based on inference and statements based on direct experience for which the speaker had no psychological preparation, and in some languages hearsay data as well. (DeLancey 1997:35)' Mirativity is also known to be relevant to evidentiality, based on numerous facts in various languages. For example, Slobin and Aksu (1982) argue that -miş in Turkish, which indicates the indirect evidentiality of past events, can denote the surprise of the speaker as well as hearsay and inference, which are the typical meanings of indirect evidentiality. Lazard (1999) also suggests a close relationship between mirativity and evidentiality (mediativity in Lazard 1999) based on phenomena in several languages.

The position of mirativity has also been discussed in the literature. Many studies, such as Slobin and Aksu (1982) and Lazard (1999), see mirativity as a subpart of evidentiality, mainly based on the fact that the forms that denote evidentiality can also have mirative readings. However, DeLancey (1997, 2001, 2012) argues that mirativity must be recognized as a distinct category from evidentiality, and the existence of forms in many languages that combine mirative and inferential can be explained in terms of the interaction of evidentiality and mirativity. This discussion further leads to the definition of evidentiality. Aikhenvald (2003) considers the position of mirativity in a discussion of the 'broad sense' vs. 'narrow sense' definitions of evidentiality and argues that the mirativity attested as a function of the forms denoting evidentiality is just a secondary function of these forms, and thus evidentiality should be defined in terms of the source of information:

One of the current misconceptions concerning evidentiality is to do with a gratuitous extension of this term to cover every way of expressing uncertainty, probability and one's attitude to the information, no matter whether it is the primary meaning of a category or not, or talking of evidentiality in a 'broad sense'—by Chafe's (1986:271) definition: as marking speaker's [attitude] towards his/her knowledge of reality as opposed to its 'narrow sense': marking the [source] of such knowledge. This is unhelpful and quite uninformative.

Aikhenvald (2003:19)

The argument of Aikhenvald (2003) itself is, to some extent, reasonable in the sense that the category marking source of information (or knowledge) should be labeled independently of other categories relevant to evidentiality in a broad sense, such as mirativity. However, it is still valuable and necessary to examine the organization of evidentiality in a broad sense, as discussed in Chafe (1986). The aim of this paper is to examine the organization of evidentiality in a broad sense through the discussion on the functions of several forms, mainly forms of the auxiliary *bi-* and verbal nouns in Sibe.

2.3 Egophoricity

Egophoricity has also been considered in the discussion of evidentiality (Tournadre and LaPolla 2014, San Roque et al. 2018). Egophoricity is defined by San Roque et al. (2018:2) as 'a general phenomenon of linguistically flagging the personal knowledge, experience, or involvement of a conscious self.' Although it is attested in the languages of the Tibeto-Berman family, this category is grammaticalized in a category with mirativity or evidentiality (DeLancey 2012, Tournadre and LaPolla 2014), and it has been argued that the definition of evidentiality should include egophoricity.

Thus, the issue of egophoricity is much the same as that of mirativity, namely its place within the category of evidentiality. Although it has been argued that egophoricity is related to evidentiality and mirativity, and indeed the relationship of egophoricity to evidentiality and mirativity is attested and the whole organization of evidentiality (in the broad sense) including them has been discussed for some languages (for example,

Hyslop 2018 for Kurtöp), the discussion is still inadequate, and the comprehensive organization of evidentiality as a whole (in broad sense) has not revealed well in general terms. As we will see in the latter part of this paper, in Sibe, verbal nouns show some 'egophoric'' characteristics, such as being preferred for personal knowledge. However, in fact, the verbal noun denotes fixed knowledge that is stored in the memory of the speaker and pragmatically introduces non-shared information that serves as background information in the conversation.

2.4 Matching

In this paper, we will deal with another semantic category, 'matching,' to explore the organization of evidentiality. 'Matching' is a mental process of matching two pieces of information or knowledge and judging whether they are consistent or contradictory. As we saw in 2.1, this semantic category was proposed by Chafe (1986).[2] The organization of evidentiality (in a broad sense) proposed by Chafe (1986) assumes the matching of knowledge against verbal resources and expectations. The following (1) is an example from Chafe (1986). In English, the expression 'sort of' in sentence (1) indicates that the action is not codable by any category. According to Chafe (1986), this expression reflects the existence of the mental process of matching knowledge and linguistic labels.

(1)   *And he started sort of circling.*   (Chafe 1986:270)

Chafe (1986) also proposes matching knowledge and expectations. In English, the expressions 'of course' in (2) show that the knowledge is in line with expectations.

(2)   *... but of course to the audience sounded like a sort of a total nonsequitur.*

(Chafe 1986:271)

---

[2] Chafe (1986) also mentions the matching of verbal expressions and information. However, we will mainly deal with the matching of information and knowledge (including expectation) in this paper.

The expression 'oddly enough' marks that the knowledge is not in line with expectations.

(3)   *... Well oddly enough it was in Japan.*

(4)   *In fact, this whole week has been awful.*

(5)   *... cause German was actually his first language until he started school.*

Matching is also mentioned in the analysis of modal elements in Japanese. Takubo (1992) suggests that the particle *ne* seen in the following examples (6) and (7) denotes that the knowledge existing in the memory of the speaker and that of the hearer correspond to each other or not. According to Takubo (1992), the following utterance is not newsworthy for the hearer without the particle *ne*, for both convey information about the hearer. However, the particle *ne* denotes that the speaker has the same information as the hearer, and this meta-information (information about the knowledge of the speaker) makes the utterance informative.

(6)   kimi   wa   sangatsu   umare   desu   *ne*?
        2SG   TOP   March   be.born.VN COP   SFP
        'Were you born in March, right?'   (Takubo 1992:170)

(7)   kimi   no   okusan wa   amerikajin dasou   desu   *ne*?
        2SG   GEN wife   TOP American   HS   COP.POLITE   SFP
        'It's said that your wife is American, right?'   (ibid.)

Furthermore, Saito (2006) suggested a model for the management of knowledge based on a model of memory that consists of a knowledge database and its buffer, and assumes the following processes when registering new information into the memory (knowledge database in Saito 2006), whereby the new information is matched against the fixed knowledge of the speaker.

(8)   a. An external information is registered into the buffer as a proposition.

b. The source of the information is attached as meta-information to the proposition.

c. Relevant knowledge is read from database into buffer.

d. Propositions in the buffer are matched to each other and checked whether they are consistent or contradictory.

e. If the propositions are found to be contradictory, then the contradiction is resolved by referring to the meta-information.

f. The information is registered into the knowledge database if it is not contradictory to other propositions.

The process (8c) was also assumed by Chafe (1973, 1974, 1986, 1987, 1994) as the activation of knowledge in memory.

So far, we have discussed the theoretical framework for the discussion in this paper. As we saw in 2.1, there have been two types of approach, the 'broad sense' and 'narrow sense' definitions of evidentiality. In the following section, we will see the semantics of certain forms in Sibe, and through that discuss the organization of evidentiality in Sibe.

3. Evidentiality in Sibe

In this section, we will discuss the forms relevant to evidentiality. Sibe (Xibe, Xibo) is a Tungusic (Manchu-Tungusic) language, spoken in Cabcal Sibe Autonomous County, Yining City, and other parts of the Xinjiang Uyghur Autonomous Region in China. Sibe has around 30,000 speakers, most of whom are multilingual in Mandarin Chinese, Uyghur, Kazakh, and Sibe. Sibe has agglutinative morphology and SOV word order, which are shared by most of the so-called Altaic languages.

3.1 Forms relevant to evidentiality

In this section, we will see the functions of the forms relevant to the discussion of evidentiality in this paper. Before that, however, we will examine a sketch of the verbal morphology of Sibe. The TAM system of Sibe is shown in Table 1.

Table. 1 Finite Forms of Verbs

		Indicative =i	Verbal noun =ŋe	Participle
Realis	Perfective V-Xe	V-Xe=i	V-Xe=ŋe	V-Xe
	Imperfective V-maχe	V-maχe=i	V-maχe=ŋe	V-maχe
Irrealis V-re		V-mi	V-re=ŋe	V-re

Note that in Sibe, verbal nouns and participles can occur in main, independent clauses as well as the indicative (see Kogura 2019a for details). In addition, Sibe has some auxiliaries that occur after other verbs and denote aspectual or modal meanings. Some auxiliaries can occur after adjectives and nouns in addition to verbs. These auxiliaries often lack full inflection for TAM. For example, the auxiliary bi- (exist) can only take perfective of the TAM forms, and cannot take irrealis or realis-imperfective.[3] Thus, the paradigm of the auxiliary bi- is as shown in Table 2.

---

[3] The fact that the auxiliary bi- only takes realis-perfective can be explained by its semantics and the characteristics of cognition. Kogura (2018) argues that the semantics of the auxiliary is 'the cognition of existence an entity or an event by the speaker,' which has developed out of the semantics 'the existence of an entity,' of the original existential verb bi, and that the process of cognition cannot be described as an on-going event, nor does the speaker know the event in advance. Hence, the process is always recognized as an actual, complete event, and thus marked by realis-perfective.

Table 2. Finite forms of the auxiliary *bi-*

	Indicative	Verbal Noun	Participle
Auxiliary *bi-* Realis-perfective *bi-Xe*[4]	*bi-Xe=i*	*bi-Xe=ŋe*	*bi-Xe*

3.2 Auxiliary *biXei* and mirativity

The auxiliary *bi-* seems to have grammaticalized from the verb *bi-* 'exist.' As seen in 3.1, the auxiliary *bi-* can only take realis-perfective in TAM, and it occurs in verbal nouns, participles, and the indicative. Of these forms, the realis-perfective indicative *biXe=i* denotes mirativity.[5] The following (9) was uttered in a situation where the speaker just realized that it had rained after seeing the wet ground when they came out of the house.

(9)   *aχa*   *da-Xe*   *bi-Xe=i.*
       rain   rain-PFV   AUX-PFV=IND
       'Oh, it rained.'

The rain had already stopped in the situation of sentence (9). Therefore, the speaker should have made an inference (it rained) based on the situation they witnessed (the ground is wet), then verbalized their inference. Judging from this situation, the function of *biXe=i* can be seen as non-firsthand information based on inference, like those languages that have forms denoting non-firsthand knowledge and mirativity. However, *biXe=i* can be used for ongoing situations. The following (10) was uttered when the speaker saw that it was raining outside when they opened the curtain in a room.

---

[4] As auxiliary *bi-* only takes realis-perfective of TAM, the function of the verbal stem *bi-* cannot be distinguished from its realis-perfective form *biXe*, so in this paper we will consider the function of the perfective form as that of verbal stem *bi-*.

[5] According to Kogura (2018), *biXe=i* denotes 'the registering of new information into the knowledge database of the speaker himself.'

(10)   *aχa*   *da-maχe*   *bi-Xe=i.*

             rain   rain-IMPFV   AUX-PFV=IND

             'Oh, it's raining outside. '

In this case, the speaker is witnessing the rain, so the information must be firsthand for the speaker. Thus, the function of *biXe=i* is not relevant to the source of information, which is denoted by narrow-sense evidentiality, because it can be used for firsthand information as well as non-firsthand.

      Sentence (10) can be uttered without *biXe=i* in the same situation.

(11)   *aχa*   *da-maχe=i.*

             rain   rain-IMPFV=IND

             'It's raining outside. '

The difference between sentences (10) and (11) is in the expectation of the speaker. Sentence (10) with *biXe=i* can be accepted in a situation where the speaker is expecting that it is raining before looking outside, or not raining. However, sentence (11) without *biXe=i* is not accepted if the speaker does not expect it to be raining outside. From these sentences, it seems that the function of *biXe=i* is to indicate an unprepared mind because only the sentence with *biXe=i* is accepted when the speaker does not expect the situation. This is different from the fact that *biXe=i* denotes the unprepared mind, for *biXe=i* can be accepted irrespective of the speaker's expectation. Aikhenvald (2012) suggests a typology of the semantics of mirativity, which consists of (i) sudden discovery, sudden revelation, or realization, (ii) surprise, (iii) unprepared mind of the speaker, (iv) counter-expectation, and (v) information new to the speaker.[6] In this term,

---

[6] In her typology of mirativity, Aikhenvald (2012) differentiates those (a) of the speaker, (b) of the audience (or addressee), and (c) of the main character. This classification is necessary considering the occurrence of the forms in narrative discourse. In the case of Sibe, the auxiliary *biXe=i* denotes the mirativity of the speaker (= narrative teller), as opposed to unmarked forms that denote that of the characters in the narrative (Kogura 2013, 2018).

the function of *biXe=i* should be (v) or (i), and not (ii), (iii), or (iv).

Kogura (2013b, 2018) suggested that *biXe=i* in Sibe denotes the registration of new information into the memory of the speaker. This function of *biXe=i* can be analyzed as encoded by the auxiliary *bi-*, which denotes the operation on the knowledge of the speaker,[7] and the indicative formed by the clitic *=i*, which denotes the registration of new information into the memory. The following (12) indicates that the indicative of verbs (*V-ASP* + *=i*) denotes new information for the hearer, and can be used when the speaker would like to convey information toward the hearer (Kogura 2013a, b, 2018). The auxiliary *biXe=i* cannot be used in the same situation because *biXe=i* denotes the new information for the speaker, not for the hearer, and does not have the function of conveying information toward the hearer.

(12) *si*   *ta,*   *aχa*   [*da-Xe=i.*   / #*da-Xe*   *bi-Xe=i.*]

     2SG   see.IMP   rain   [rain-PFV=IND / rain-PFV   AUX-PFV=IND]

     'Look! It's raining! '

The participle does not denote the operation on the information and the knowledge of the interlocutor. As shown in the following sentence (13), *biXe=i* does not have the function of conveying information toward the hearer. The participle is used when the speaker is expressing his/her admiration, as seen in sentence (14).

(13) *si*   *ta,*   *aχa*   [*da-Xe=i.*   / #*da-Xe*   *bi-Xe=i.*]

     2SG   see.IMP   rain   [rain-PFV=IND / rain-PFV   AUX-PFV=IND]

     'Look! It's raining! '

---

[7] Kogura (2013, 2018) argues that the unmarked forms denote the operation of the interlocutor based on the fact that the unmarked form can be used for new information for the speaker as well as that of the hearer in declarative sentences. In addition, in interrogative sentences, the unmarked form can be used for new information for the hearer (this is typically observed in the case for quiz questions) as well as that for the speaker. In the unmarked form of Sibe, it is pragmatically decided for whom the information is new in both declarative and interrogative sentences.

(14) *erai am=aχa   da-Xe.*
     INTJ big=rain rain-PFV
     'How much it rained! '

The participle form of the realis-perfective of the auxiliary *bi-* (*biXe*) denotes that there is no operation on the information or knowledge of the speaker. Thus, as opposed to the indicative form *biXe=i,* which denotes the registration of new information into the knowledge of the speaker, *biXe* is used for information that the speaker already knows and which thus does not need to be registered into the memory of the speaker.

(15) *cekse'   aχa   da-Xe   bi-Xe.*
     yesterday rain   rain-PFV AUX-PFV
     'You know, it rained yesterday. '

The auxiliary *biXe=i* frequently occurs in narrative discourse. Sentence (16) is from a fairy tale.

(16) *o-Xe=i   o-Xe=i   tutu   o-ci,   bi   siN=de*
     AUX-PFV=IND AUX-PFV=IND   like that AUX-COND   1SG 2SG=DAT

     gya-me   bu-ki   se-me   da   mo   sace-re   nane
     get-CVB   give-OPT   say-CVB   then   wood   mow-IRR   person

     aliN=de   tawene-me   gene-maqe da   toro   emkeN
     mountain=DAT   climb.up-CVB go-CVB   then   peach   one

     tate-me   gya-Xe   bi-Xe=i.
     pull-CVB   get-PFV   AUX-PFV=IND

     ' "Ok, if so, I will get one for you," the lumberjack said, and he climbed up the mountain, then got a peach.'

(Kogura 2018:328)

Kogura (2013b, 2018) argues that the use of *biXe=i* in narrative discourse can be understood in the same way as the use in ordinary conversation. In both cases, *biXe=i* denotes new information for the speaker. In narrative discourse, the function of *biXei* is opposed to unmarked forms that are used for the speech of the characters in the folktales. This opposition can be observed as a perspective shift between the speaker and the original speaker of the reported speech.

(17) a. *gaŋe#gaŋe* [*#miN*   *gucu/bei =i*   *gucu=ni'*]
          PN   [1SG.GEN   friends/self =GEN   friend=TOP]

      ke#yuN#jaN=de isine-Xe=i   seme   jiele-me
      station=DAT   arrive-PFV=IND   COMP   pick.up-CVB

      gene-Xe=i.
      go-PFV=IND

      'Ganggang said his friend has arrived at the station and left to pick him up. '

     b. *gaŋe#gaŋe* [*miN*   *gucu*   / *#bei=i*   *gucu=ni'*]
          PN   [1SG.GEN   friends /self =GEN   friend=TOP]

      ke#yuN#jaN=de isine-Xe=i   seme   jiele-me
      station=DAT   arrive-PFV=IND COMP   pick.up-CVB

      gene-Xe   bi-Xe=i.
      go-PFV   AUX-PFV=MOD

      'Ganggang said "My friend arrived at the station" and left to pick him up. '

                                                        (Kogura 2018:329–330)

Thus, *biXe=i*, the realis-perfective indicative of the auxiliary *bi-*, denotes mirativity, especially the registration of new information in the memory of the speaker. The meaning of mirativity in Sibe is seen as opposed to the registration of new information in the memory of the speaker. The forms and functions of *biXe=i* and its related forms are summarized in Table 3.

Table. 3 The forms and functions of *biXe=i*

	Indicative	Participle
Verbs + Auxiliary *bi-* (Realis-perfective *bi-Xe)*	Verbs + bi-Xe=i	Verbs + bi-Xe
Verbs	VSTEM-ASP=i	VSTEM-ASP

The fact that *biXe=i* is interpreted as the indicative form of the auxiliary *bi-* (particularly the realis-perfective form *biXe*) shows that mirativity in Sibe should be posited in the category of the management of information and knowledge of the interlocutor.

3.3 Verbal nouns with =*ŋe* and egophoricity

Verbal nouns consisting of a participle and a functional noun ending =*ŋe* in Sibe seem to be relevant to egophoricity. The verbal noun is used for situations that the speaker knows well in declarative sentences. This is different for indicatives, as indicatives are not sensitive to whether the speaker knows the situation or not. In addition, verbal nouns are frequently used in the narrative of the speaker themselves. The following (18) is from a text:

(18) *bi jaquN bya=i jaqu=de jaqu=ci yeneŋe=deri',*
   1SG 8 month=GEN 8=DAT 8=ON day=ABL

   gya-maqe oriN ju sideN=de bei#jiŋe=de gene-Xe=ŋe.
   get-CVB 20 two interval=DAT Peking=DAT go-PFV=FN

   'I went to Beijing from 8th to 22th of August. '

The difference between the verbal noun and the indicative suggests that verbal nouns have some characteristics that can be seen as egophoric.

Kogura (2018) examined the temporality of verbal nouns and argued that verbal nouns are sensitive to the state of information in the memory of the speaker. The following (19) shows that verbal nouns cannot be used for information that the speaker did not remember at the time of speech. The following (19a) and (19b) are both uttered as an answer to the question by the hearer where the speaker went last Monday, but here the difference lies in whether the speaker remembers the information in the answer or not. (19a) was uttered when the speaker remembers where he went on that day and answers the hearer directly, but (19b) was uttered when the speaker forgot where he went on that day, and answered after checking his diary. Here, indicatives are accepted in both sentences, but verbal nouns were not accepted in (19b), where the speaker did not remember the information at the moment of the utterance.

(19)   a. (The speaker answers the question by the hearer where he went last Monday.)

ye#yaN=de   [gene-Xe=i   / ?gene-Xe=ŋe].

hospital=DAT   [go-PFV=IND   / go-PFV=VN]

'I went to a hospital.'

         b. (The speaker forgot where he went last Monday, and answers by looking up his diary.)

ye#yaN=de   [gene-Xe=i   / #gene-Xe=ŋe].

hospital=DAT   [go-PFV=IND   / go-PFV=VN]

'I went to a hospital.'

(Kogura 2018:179)

This shows that verbal nouns are sensitive to whether the information in the sentence exists in the memory of the speaker and can be activated at the moment of utterance or not; in other words, the speaker remembers the information at the moment of utterance, but in this case indicatives are irrelevant to the state of the information in the memory of the speaker, that is, whether the speaker remembers the information in the sentence.

    The case is the opposite in interrogative sentences. Verbal nouns are used for information that the speaker does not know at the time of speech, as in sentence (20) in the following. This situation is the opposite of the case in declarative sentences. Thus, verbal nouns cannot be used for confirmations where the speaker has information and is asking for more reliable information (21), nor for quiz questions where the speaker already has enough reliable information (22).

(20)　　si　　nineŋe　　ai　　[je-Ke=i　　/ je-Ke=ŋe].

　　　　2SG　day　　　　　　[eat-PFV=IND　/ eat-PFV=VN]

　　　　'What did you have for lunch? '

(21)　　　　(The speaker saw the Ercang[8] and asked him.)

　　　　ele#tsaŋe si　[ji-Xe=i　　/ #ji-Xe=ŋe]　　na.

　　　　PN　　　2SG　[come-PFV=IND /　come-PFV=VN]　Q

　　　　<Did you come here, Ercang?>

(22)　　tulbi-me　ta,　　bi　　eneŋe　ai　　baite

　　　　guess-CVB　see.IMP　1SG　today　what　affair

　　　　[are-Xe=i　　/ #are-Xe=ŋe].

　　　　[make-PFV=IND　/　make-PFV=VN]

　　　　'Guess what! What did I do today? '

Verbal nouns are used in the conversation to provide background information for inferences to obtain the real information that the speaker needs. In (23), speaker A needs to know whether A (and B) have to buy naan. Here, speaker B provides information that he already has one, but speaker A can infer that he does not have to buy one because speaker B has already received one (and there is naan in the home).

(23)　　A:　eneŋe　　laŋe'#eweN　　gya-mi　　na.

　　　　　　today　　naan　　　　get-IRR.IND　Q

　　　　　　'Shall we get a naan today? '

　　　　B:　emgeri'　[gya-Xe=ŋe　　/ ??gya-Xe=i　　/??gya-Xe].

---

[8] A name in Chinese corresponding to *ele#tsaŋe* in Sibe.

47

already [get-PFV=VN / get-PFV=IND / get-PFV]
'I've already got one (, so we don't have to buy one.) '

A: *tutu* *o-ci* *da* *gya=qu* *o-Xe.*
such become-COND foc get=IRR.NEG become-PFV
'Then we won't buy one. '

(Kogura 2018:175)

Verbal nouns can be used as disjunct markings, as in the following (24).

(24) *bi* *erde'* *cau#Si=de* *gene-Xe=ŋe,* *li-Xaqu=i.*
1SG morning supermarket=DAT go-PFV=VN open-PFV.NEG=IND
'I went to a supermarket in the morning, but it was not open. '

This use of verbal nouns can also be understood as indicating that the subordinate clause provides background information for the main clause, and the information provided by the main clauses is incompatible with that inferred based on the information provided by the subordinate clause.

Thus, the verbal noun is used for information that the speaker already knows and remembers at the time of speech. However, as we saw in 3.2, situations in which the speaker knows it can be denoted by another element *biXe*, the perfective participle of the auxiliary *bi-*. The following (25) is uttered in a situation where the speaker is recalling a memory.

(25) (The speaker is scolding the child)
ye#li#bira=de *efse-me* *oju=qu* *seme* *ale-Xe*
PN =DAT swim-CVB AUX=IRR.NEG COMP tell-PFV
bi-Xe.
AUX-PFV
'I should have told you that you mustn't swim in Yili River. '

According to Kogura (2013b, 2018), the difference between *biXe* and verbal nouns lies in the mental process that is applied to knowledge. As we saw in 3.1, the participle does not denote the operation of knowledge or information, and the realis-perfective participle *biXe* does not denote it in just the same way as general participles. In this case, the knowledge state of the speaker, that is, that the speaker knows the contents of the sentence, is simply pragmatically implied based on the function of the form indicating that the content of the sentence does not need to be registered.[9] In contrast, in the case of verbal nouns that denote the activation of fixed knowledge in memory, the knowledge state of the speaker, that is, that the speaker knows that the contents of the sentence are entailments for proper operation. That is, the operation of the activation of knowledge will not be successful unless the knowledge is stored in the memory of the speaker at the time of speech. Thus, the analysis proposed in this paper based on the mental operation of information and knowledge in the memory of the interlocutor can provide a consistent and holistic analysis for the function of various forms in Sibe.

3.4 Auxiliary *biXe=ŋe:* mirativity + egophoricity?

So far, we have seen some forms related to mirativity and egophoricity in Sibe. Although the auxiliary *biXe=i* seems to denote mirativity, and verbal nouns formed from the participle and *=ŋe* seem to denote egophoricity, the functions of these forms should be seen as the registration of new information into the speaker's memory and the activation of knowledge, respectively. In fact, these two forms can be combined with *biXe=ŋe*, the realis-perfective verbal noun of the auxiliary *bi-*.

The auxiliary *biXe=ŋe* is used to provide fixed knowledge of the speaker that is not consistent or contradicts other information or knowledge in the conversation. The following sentence (26) is uttered in a situation when the speaker made some meat

---

[9] Kogura (2018) further discusses the basis of this inference, and provides an analysis based on the maxims of conversation proposed by Grice (1975, 1989). See Kogura (2018) for detail.

buns and put them on the table and found that they had disappeared the next time they saw the table. In this case, the speaker should remember that he put the meat buns on the table; in other words, it is his fixed knowledge at the time of speech.

In addition, the speaker thought that the buns were still on the table; hence, the speaker did not expect the situation in which there were no buns on the table.

(26)   *unyu' oi lawdu bause* [*ʔseNda-Xe= ŋe /seNda-Xe bi-Xe=ŋe*]

        INTJ INTJ many buns [put-PFV= VN   /put-PFV   AUX-PFV=VN]

        we je-Ke[10] *ere.*

        who eat-PFV this

        'Oh, I put so many buns here. Who ate them? '

        (Questionnaire for Noda sentences: 028-20a-10a[11])

This case is interesting because in the current framework, mirativity generally denotes new information that the speaker just obtained at the time of speech and that in some cases is contrary to expectations based on the fixed knowledge of the speaker. The semantics of *biXe=ŋe* in Sibe shows that there can be a form that denotes fixed knowledge that is not assimilated to the newly obtained information. Thus, in Sibe, there are two forms that correspond to two types of non-assimilated knowledge or information in the bi-directional matching of newly obtained information and fixed knowledge: *biXe=i* denotes newly obtained information that is not assimilated to fixed knowledge, and *biXe=ŋe* denotes fixed knowledge that is not assimilated to newly obtained information. Based on this analysis, the definition of mirativity proposed by Aikhenvald (2012) is not sufficient in that it does not include the status of fixed knowledge, and should be re-defined as the status of both new information and fixed knowledge with regard to whether they are assimilated to other knowledge or information. This category may consist of new information that is inconsistent with

---

[10] Some verbal stems take the irregular form *-Ke* for realis-perfective.

[11] This sentence was collected by using the manga-questionnaire (not published) by Mie Tsunoda. See Tsunoda (2017) for details.

fixed knowledge (which has been tagged as mirativity), and fixed knowledge inconsistent with new information. In this definition of mirativity, the system of mirativity in Sibe can be described as shown in Table 4.

Table 4. The system of mirativity in Sibe

	Newly obtained information	Fixed knowledge
Assimilated	Indicative	Verbal noun
Not assimilated	*biXe=i*	*biXe=ŋe*

This category may be expanded to other types of distinctions. In modern Uyghur, the sentence-final particles *Gu* and *de* denote that the content of the sentences is assimilated and non-assimilated to other information or knowledge, respectively (Kogura 2019b). For example, sentence (27) was uttered in a situation where the speaker saw a person and inferred that she was a student, but then found out that the person was actually a teacher. In this sentence, the auxiliary *iken* marks new information that the speaker obtained at the moment of utterance, and the particle *Gu* denotes that the content of the sentence is not consistent with other information of knowledge; in this case, the inference of the speaker that the person was a student.

(27)   *u*   *muallim*   *i-ken*   *Gu.*
         3SG   teacher   AUX-PRES.PRF.PART   SFP
         '(S)he is a teacher (I didn't think so.) '

(Kogura 2019a)

In contrast, another particle *de* denotes that the content of the sentence is consistent with two other pieces of knowledge. In sentence (28), the speaker is making an inference based on the situation and knew that there was an accident there. Here, the particle *de* denotes that the information that an accident has occurred, which the speaker obtained through an inference based on the situation of the ground, is consistent with the situation of the ground.

(28) *bu*   *yer-de*   *weqe*   *bol-u-ptu*   *de.*
    this   place-LOC   accident   occur-E-INF.3   SFP
    'It seems that an accident occurred here.'

(Kogura 2019b)

Note that the suffix *-ptu* denotes information obtained through inference. This shows that the source of information (the semantics of evidentiality in a narrow sense) is independent of the matching of knowledge and information, which is marked by particles.

4. Discussion: Why egophoricity and mirativity exist in grammar

So far, we have seen the functions of some forms that are concerned with evidentiality in a broad sense, with a main focus on the auxiliary *bi-*, whose perfective indicative form (*bℓXe=l*) concerns mirativity, and the verbal noun consisting of a participle and the functional noun *ŋe*, which is concerned with egophoricity. As a result, the functions of these forms can be systematically explained in terms of the management of the knowledge and information of the interlocutors, especially the speaker.

    The analysis thus far suggests a distinction between information that is obtained at the moment of the speech, and knowledge that was stored in the memory of the interlocutors at the time of speech. The latter is related to egophoricity, in that it is mentioned as personal knowledge in the framework of egophoricity (Floyd et al. 2018). This shows why and how egophoricity and mirativity concern grammar, and in particular evidentiality. There is a mental process of matching newly obtained information with the fixed knowledge of the interlocutor, which is stored in the memory at the time of speech. For this matching, it is necessary to distinguish the newly obtained information from the fixed knowledge and assimilated information or knowledge from non-assimilated. In addition, the latter serves as background information in the conversation, making the exchange of information between the interlocutors more efficient.

5. Concluding remarks

In this paper, we examined the organization of evidentiality in a broad sense, with a focus on mirativity and egophoricity, through the analysis of an auxiliary *bi-* and verbal nouns formed from participles and a clitic *ŋe* in Sibe. The main claim of this paper is that the place of mirativity and egophoricity is properly determined by considering the mental process of matching of information that the speaker just obtained to the knowledge that the speaker possessed at that time.

The main argument of this paper is that the category of evidentiality in a broad sense can be systematically understood by assuming the matching of the information that is obtained at the moment of the speech and the knowledge stored in the memory of the interlocutors at the time of speech. Mirativity and egophoricity will then be properly placed in the grammar as the sub-categories of evidentiality, as proposed by Chafe (1986). The organization of the category of evidentiality in the broad sense proposed in this paper is shown in Table 5.

Table 5. The organization of evidential categories

Source of information	Mode of knowing	Reliability	Assimilated / Not assimilated	Information / Knowledge
Evidentiality (i)	Evidentiality (ii)	Epistemic modality	Mirativity	Egophoricity

The category of mirativity is independent of evidentiality, which denotes sources of information and modes of knowing. As we saw in 3.2, in Sibe, the auxiliary *biXei*, which denotes mirativity, can be used for information that the speaker directly obtained through visual experience as well as indirectly through inference based on the resultant state of an event.

Another issue to consider is whether there are any other sub-categories of evidentiality in a broad sense, based on the fact that in Sibe, modes of registration of new information can constitute another category within evidentiality. The auxiliary *yela-* in Sibe indicates treating the content of the propositional content of the sentence as an exception when it is not assimilated to other information or knowledge; hence, *yela-* is used to denote a temporal, exceptional state of the subject opposed to the regular state of the subject (Kogura 2013b, 2018).

Acknowledgements

This work was supported by JSPS KAKENHI Grant Number JP18K12364, JP18H03578, and ILCAA Joint research project 'Information Structure and the Grammar of Knowledge in Turkic Languages: Interface of Phonology, Morphosyntax, and Semantics,' and 'Typological Study of 'Altaic-Type' Languages (2).'

Abbreviations

1	first person	INF	inferential
2	second person	IMP	imperative
3	third person	IMPFV	imperfective
ABL	ablative	IRR	irrealis
AUX	auxiliary	INTJ	interjection
COMP	complementizer	LOC	locative
COND	conditional	NEG	negation
COP	copula	ON	ordinal number
CVB	converb	OPT	optative
DAT	dative	PART	participle
E	epenthetic (vowel)	PFV	perfective
FN	functional noun	POLITE	politeness
GEN	genitive	PN	proper noun
HS	hearsay	PRES	present
IND	indicative	PRF	perfect

Q	question	TOP	topic
SFP	sentence final particle	VN	verbal noun
SG	singular		

References

Aikhenvald, Alexandra. Y. (2003) Evidentiality in typological perspective. In A.Y. Aikhenvald and R.M.W. Dixon. (eds.) *Studies in Evidentiality*. 1–31. Amsterdam/ Philadelphia: John Benjamins Publishing Company.

————. (2004) *Evidentiality*. New York: Oxford University Press.

————. (2012) The essence of evidentiality. *Linguistic Typology*. 16(3):435–485.

Akatsuka, Noriko. (1985) Conditionals and the epistemic scale. *Language* 61(3):625–639.

Chafe, Wallace. (1973) Language and memory. *Language*. 49:261–281.

————. (1974) Language and consciousness, *Language*, 50(1):111–133.

————. (1986) Evidentiality in English conversation and academic writing. In Chafe, Wallace, Nichols, Johanna. (eds.) 261–272.

————. (1987) Cognitive constraints on information flow. In Russell Tomlin (ed.), *Coherence and Grounding in Discourse*, 21–51. Amsterdam: John Benjamins.

————. (1994) *Discourse, Consciousness and Time*. Chicago: The University of Chicago Press.

Chafe, Wallace, Nichols, Johanna (eds.) (1986) *Evidentiality: The Linguistic Coding of Epistemology*. Norwood, New Jersey: Ablex Publishing. Corporation.

DeLancey, Scott. (1997) Mirativity: The grammatical marking of unexpected information. *Linguistic Typology*. 1:33–52.

————. (2001) The mirative and evidentiality. *Journal of Pragmatics* 33(3):369–382.

Grice, Paul. H. (1975) Logic and conversation. In. Peter Cole and Jerry Morgan (eds.) *Syntax and Semantics. Vol. 3: Speech Acts*, 43–58. New York: Academic Press.

————. (1989) *Studies in the Way of Words*. Cambridge: Harvard University Press.

Hyslop, Gwendolyn. (2018) Mirativity and egophoricity in Kurtöp. In Simeon Floyd,

Elisabeth Norclife and Lila San Roque. (eds.) *Egophoricity*. 109–137. Amsterdam/ Philadelphia: John Benjamins Publishing Company.

Kogura, Norikazu. (2010) On the three Verbal Suffixes *-mi, -Xei, -mahei* in Sibe Manchu: Aspect and the Structure of Temporal Deixis. *Tokyo University Linguistic Papers*. 30:93–113. [in Japanese]

――――. (2013a) The function of three perfective forms *-Xei, -Xeŋe, -Xe* and a clause hierarchy: Why may only *-Xe* may occur in adnominal clauses? *Hoppō gengo kenkyū*. 3:155–74. [in Japanese]

――――. (2013b) Shibego no asupekuto, modariti no kenkyu: Chishiki jotai no henkani motodzuku taikeika (A study on the aspect and modality in Sibe: an holistic analysis based on the development of knowledge states). Ph.D. Dissertation. University of Tokyo. [in Japanese]

――――. (2016) Shibego no Hojodoshi *biXe* to 'Omoidashi' (The Auxiliary *biXe* in Sibe and 'recalling' as a mental process). *Kyushu University Papers in Linguistics*. 36: 129–146. [in Japanese]

. (2018) *Shibego no Modality no Kenkyu* (*A Study of the Modality System in Sibe*). Tokyo: Bensei Publishing. [in Japanese]

――――. (2019a) Finiteness in Sibe: Aspects of finiteness and historical development. *Asian and African Languages and Linguistics*. 13:81–112.

――――. (2019b) The organization of modal categories in Modern Uyghur: With a focus on the auxiliary *i-* and sentence-final particles. *Proceedings of The 14th Seoul International Altaic Conference*. 75–92. The Altaic Society of Korea.

Lazard, Gilbert. (1999) Mirativity, evidentiality, mediativity, or other? *Linguistic Typology*, 3:91–109.

Slobin, Dan I. Aksu, Ayhan. A. (1982). Tense, aspect and modality in the use of the Turkish evidential. In. P. J. Hopper (ed.), *Tense-Aspect: Between Semantics & Pragmatics*. 185-199. Amsterdam: John Benjamins Publishing Company.

Takubo, Yukinori. (1992[2010]) Danwakanri no Hyoshiki ni tsuite. Bunka Gengogaku Henshu Iinkai (ed.) *Bunka Gengogaku: Sono Teigen to Kensetsu* (*Cultural linguistics: Its proposal and establishment*). 96–106. (Republished in.

Yukinori Takubo. 2010. *Nihongo no Kozo: Suiron to Chisikikanri* (*The Structure of the Japanese Language: Inference and Knowledge Management*). 161–172. Tokyo: Kuroshio Publishing. [in Japanese]

San Roque, Lila, Simeon Floyd and Elisabeth Norcliffe. (2018) Egophoricity: An introduction. In Simeon Floyd, Elisabeth Norcliffe and Lila San Roque. (eds.) *Egophoricity*. 1–77. Amsterdam/ Philadelphia: John Benjamins Publishing Company.

Saito, Manabu. (2006) Shizen gengo no shoko suiryo hyogen to chishiki kanri (evidential inference expression and knowledge management in natural languages). Ph.D. dissertation, Kyushu University. [in Japanese]

Tournadre, Nicolas, LaPolla, Randy J. (2014) Towards a new approach to evidentiality: *Issues and Directions for Research: Linguistics of the Tibeto-Burman Area.* 37(2):240–263.

Tsunoda, Mie. (2017) Data elicitation using mangas: The "cogitation process" approach. *Journal of Asian and African Studies.* 94:179–209. Institution for the languages and cultures of Asia and Africa.

土族語互助方言の自己性
—動詞接尾辞-*wa* は自己性標識である—
Egophoricity in Mongghul:
Verbal suffix -*wa* is an egophoric marker

角道　正佳

Masayoshi KAKUDO

要　旨

　土族語互助方言の動詞に接続する-*wa* は自己性に関して中立（無標）であると記述されていることが多いが，Åkerman のみ自己性であると主張している。この主張の根拠について柔軟性の観点から検討し，その主張に妥当性があることを論じた。

キーワード：　土族語互助方言，自己性，柔軟性，話し手の関与

1　はじめに

　土族語互助方言[1]の動詞に接続する-*wa*は自己性に関して中立であると記述されていることが多い[2]が，Åkerman のみ自己性であると主張している[3]。この主張の妥当性について検討する前に第 2 節で自己性(egophoricity)について概説し，類型的にどのようなものがあるかを述べる。第 3 節で柔軟性について述べ，第 4 節でモンゴル系言語[4]の形式について述べ，第 5 章で土族語互助

---

[1] 中華人民共和国青海省，甘粛省で話されているモンゴル系の言語。Mongghul と呼ばれる。他方土族語民和方言は青海種で話されている言語で Mangghuer と呼ばれる。

[2] 照那斯圖編著 (1981)，清格尔泰等編 (1991)，Georg (2003)，Faehndrich (2007)，角道 (2018)。

[3] Åkerman (2012)は未来時制の-*m*, -*n* は中立的であり，1 人称主語が irrealis の状況あるいは話し手の意図があまり definite でない時にのみ用いられると述べているが，-*m* は格言，諺，謎々 (Тодаева 1973: 179-187, 清格尔泰等編 1988: 531-563) にも頻出する。なお東山方言や丹麻方言では-*m* は-*n* に合流している。

[4] 自己性を文法範疇として持つ言語は他に，土族語民和方言，保安語同仁方言，保安語積石山方言，康家語，東部裕固語がある。

方言の Åkerman の主張について述べる。第 6 節で土族語互助方言における分布について述べ，第 7 章で具体例を提示し，第 5 節における主張が妥当であるかどうかを論じる。第 8 節は結論である。

2 自己性

　自己性(egophoricity)というのは，人称変化[5]と似ている点があるが別の範疇である。証拠性とは違った範疇であるという見解と証拠性の一部であるという見解とがある。自己性標識を定義すると，「社会的 and/or 認識的意味における関与(involvement)の何らかの形式に基づいた出来事や状態の個人的知識に言及することを話し手に許す一種の認識的標識のことである」のように非常に抽象的で込み入った定義になるが，自己性を文法範疇として持っている言語に共通する特徴を述べようとするとこのようになってしまう。

　自己性の文法範疇を持っている言語は，コーカサス，ヒマラヤ，パプアニューギニア，南米北部等に分布している。現在までに報告された言語はすべて SOV の語順を持っているものばかりである[6]。

　自己性についてまず述べなければならないのは，Hale (1980)の Kathmandu Newar 語に関する conjunct/disjunct の記述である。Hale は間接話法の表現において，主節の主語と従属節の主語が同一の場合，従属節の動詞が conjunct（すなわち自己性）の形式になり，同一でない場合は述語の動詞が disjunct（すなわち非自己性）になると述べている。Hale はこの関係を単文に拡張している。conjunct/disjunct という名称は構造的[7]に用いられたもので，特にチベット語の専門家からは批判がある[8]。最近は egophoricity が広く用いられている。モン

---

[5] 人称変化は通常単数と複数が異なる形式を持っているが，自己性は単数と複数で異なる形式を持つ言語は稀である。しかし Guambiano 語（南西コロンビア）は単複で違う形式が現れる (San Roque et al. 2018: 16, Norcliffe 2018: 313)。人称変化には疑問文逆転が起こらないが自己性には起こる。

[6] Nam Trik (Guambiano)語では動詞の後に副詞が来る例がある(Bergqvist and Knuchel 2017: 368)。また主語や目的語が右方転移している例が Norcliffe (2018)にある。Cha'palaa 語でも主語が右方転移している例が Floyd (2018: 284)にある。いずれも Barbacoan 語に属する言語である。

[7] conjunct/disjunct は logophoric context に現れる現象に基づいた概念である。

[8] Tournadre (2008)。自己性は二項対立（自己性/非自己性）を成すが，チベット語や五

ゴル諸語の分野では主観(subjective)/客観(objective)という表現が用いられているが，自己性(EGO)/非自己性(N.EGO)を用いることにする。

まず規範的体系について述べる。

(i) 主語が1人称平叙文の場合，述語は自己性の標識を伴う。

(ii) 主語が2人称疑問文の場合，述語は自己性の標識を伴う。

(以上の関係は疑問文逆転(interrogative flip)と呼ばれている。)

(iii) 上記の場合以外では，述語は非自己性の標識を伴う。

(iv) 発話動詞の主節主語と従属節の主語が同一の場合，従属節述語は自己性の標識を伴う。同一でない場合，従属節の述語は非自己性の標識を伴う。

((iv)の自己性の状況は logophoric context と呼ばれている。)

わかりやすい例を上記のパターンが現れる日本語の「〜たい(自己性)/〜たがる(非自己性)」の例で示してみよう。

(1) （私は）…が〜たい。   （自己性）

(2) （あなたは）…が〜たいですか？   （自己性）

(3) （彼は）…を〜たがっています。   （非自己性）

(4) （彼 i は）[（彼 i は）…が〜たい]と言っています。（自己性）

(5) （彼 i は）[（彼 j は）…を〜たがっている]と言っています。

（非自己性）

この使い分けは以下に示すように関係節や仮定節や「のだ」文でも現れうるという点で Kathmandu Newar 語と似ている[9]。ただし日本語は心的状態を表す表現で非過去形に限られているという違いがある。

屯語（青海省）の記述では二項対立では不十分で，非自己性がさらに細分化される。

[9] Hargreaves (2005: 17-20)

(6) ［（あなた方の中に）船に乗りたい］人はいませんか？

(自己性)

(7) ［（隣のクラスに）船に乗りたがっている］人はいませんか？

(非自己性)

(8) あなたが/田中さんが行きたければ，行かせてあげますよ。

(自己性)

(9) あの人は…したいのだ。　　　　　　　(自己性)

　以上に述べたのは規範的体系の場合である。(i)～(iii)が厳密に守られているのは，Cho'palaa 語（北西エクアドル）と Galo 語である（San Roque et al. 2018: 5）。しかし Ika (Arwako)語（北西コロンビア）では自己性標識は平叙文にのみ現れる（Bergqvist 2018）。Zhollam 語（チベット語カム方言，雲南省北西）では(iii)が守られなくなり 2 人称平叙文に自己性標識が用いられる（Suzuki 2016）。自己性の基本に反する用法が Tshangla 語（東ブータン）に見られる。話し手が命題が正しいかどうかが不確かなときに平叙文にのみ現れる *giss* が自己性と共に用いられる（Bogal Allbritten and Schardl 2014）。

　言語によっては様々なバリエーションがある。

　(v) 言語によっては(iv)の特徴を持たないものがある。

　　　土族語互助方言，土族語民和方言，保安語積石山方言，Awa Pit 語（コロンビア，エクアドル），Ika 語（北コロンビア）

　(vi) 言語によっては述語がコピュラや存在動詞にまで拡大する場合がある。

　　　土族語，保安語，チベット語，Awa Pit 語

　(vii) 言語によっては主語が動作主に限らない場合がある。

　　　（柔軟性）

　　　土族語，保安語，チベット語，Awa Pit 語

　(viii) 言語によっては動詞の時制やアスペクトに制限があるものがある。

　　　Kathmandu Newar 語は past, perfective, imperfect のみ，Kurtöp 語（北東ブータン），Oksapmin 語（パプアニューギニア）は perfect のみ，Akhvakh 語（コーカサス）は perfective positive のみ，Japhug 語（四

川省）は present のみ，Duna 語（パプアニューギニア），Kaluli 語（パプアニューギニア）は現在，未来のみ

　さらに重要なことは(i)～(iii)がある条件で守られなくなることである。以下の節で問題になる 3 人称主語の文で自己性の標識が選ばれる場合は以下の(x)が関係している。

(ix)　話し手の制御が効かない場合，(i)の条件で非自己性の標識になる。
　　　Kathmandu Newar 語

(x)　通常非自己性の標識が選ばれる場合でも，話し手の関与がある場合自己性の標識が選ばれることがある。（柔軟性）

(xi)　修辞疑問文で 1 人称が自己性，2 人称が非自己性になる言語がある。
　　　Kathmandu Newar 語，Awa Pit 語

3　柔軟性

　自己性が動作主にのみ関連する Kathmandu Newar 語や Akhvakh 語のような言語がある一方，チベット語の標準語では egophoric intentional perfective の *pa-yin* は 1 人称主語にのみ使用される(narrow scope)のに対し，egophoric receptive の *byung* は 1 人称主語，直接目的語，間接目的語などにも使用される(wide scope)[10]。動作者以外の項に用いられる自己性を第二自己性[11]と呼ぶことがある。Awa Pit 語では被動作主，経験者，受益者，刺激[12]，非動作主 (目標，影響を受ける関与者)に用いられる自己性がある。Tsafiki 語(エクアドル)は動作主と被動作主に関連する自己性がある[13]。自己性と非自己性は通常排他的であるが，第二自己性を持つ言語の中には，Bunan 語（インド）[14]や Nam

---

[10] Tournadre (2008)
[11] Bergqvist and Knuchel (2017)は secondary egophoric marking という用語を用いている。
[12] 刺激(stimulus)は「見る」，「見張る」等の対象。
[13] Knuchel (2015: 48)。話し手の関与は意味的役割でも決まらない場合がある。以下は五屯語の例である。
　　moto　　　*je*　　*ni-de*　　　*hai-yek*
　　motorcycle　this　2SG-ATTR　EQUATIVE-EGO
　　'This is your motorcycle (I am giving it to you).'　　Sandman (2018: 183)
[14] San Roque et al. (2018: 23)

Trik (Guambiano)語（南西コロンビア）[15]のように第二自己性標識と非自己性標識が一つの節に共起するものがある。Awa Pit 語のように自己性標識と第二自己性標識が異なる形式を持つ言語がある一方，土族語や保安語のように同一形式の言語もある。土族語の第二自己性は第7節で実例を示す。

4 モンゴル系言語の定動詞の平叙文肯定形における自己性/非自己性

関連する部分だけを取り出すと以下のようになる。統一するため配列を変えた。また subjective, objective をそれぞれ自己性，非自己性に置き換えてある。土族語互助方言の-wa と対応する形式を塗りつぶしにした。

4.1 土族語互助方言
4.1.1 Georg (2003: 302)

	無標	自己性	非自己性
narrative (durative)	-m	-n-ii	-n-a
terminative (resultative)	-wa	-j-ii	-j-a

4.1.2 Faehndrich (2007: 154)　Karlong 方言

		自己性	非自己性
Non-past	-m	-n-ii	-n-a
Perfective	-wa	-dʑ-iː	-dʑ-a

4.1.3 Åkerman (2012)　東溝郷大庄村

	自己性	非自己性
Stative	-jii	-jia
Imperfective	-nii	-na
Perfective	-wa	-jia

---

[15] Bergqvist and Knuchel (2017: 366)

4.2 土族語民和方言 Slater (2003)

	自己性	非自己性
Imperfective	*-la bi*	*-lang*
Perfective	*-ba*	*-jiang*
Future	*-ni*	*-kun(i)ang*

4.3 保安語同仁方言 Fried (2010: 187)

	自己性	非自己性
Imperfective	*-ji*	*-jo*
Perfective	*-to*[16]	*-jə*
Future	*-gi*	*-gəwa*

4.4 保安語積石山方言 佐藤 (2016)

	自己性	非自己性
現在	*-m*	*-nə*
過去	*-o*	*-tɕ*

5 土族語互助方言の自己性/非自己性

Åkerman(2012)は-*wa* が subjective（すなわち自己性）であると述べている。すなわち-*wa* は 1 人称平叙文および 2 人称疑問文には現れるけれども 3 人称の文には-*jia*（非自己性）が現れると述べている。これは第 2 節で述べた(i)-(iii)の事実と一致する。-*wa* が 3 人称主語の文に出現する例（親族名称，主語の所有者，目的語の所有者，句の指示対象[17]）も示しているが，親族名称以外は明示的に 1 人称が文中に現れているものばかりである。暗示的に 1 人称が

---

[16] -*to* は Fried (2010)で-*to* (p.49 (42)，p.53 (63))，-*o* (p.89 (202))，-*ko* (p.170 (217))，-*ro* (p.258 (311))というバリエーションがある。Fried (2010: 191-192)は動詞語幹の後に出現する *wa* を名詞や形容詞につく客観範疇(N.EGO)のコピュラと同一視しているが、これは間違いである。陳乃雄等編 (1987)には *wa* (EGO)が多数出現する。

[17] Åkerman (2012: 48-49)の例は以下の通りである。表記は原文通り。
Ndaa saa ghri-wa.「私は（DAT）熱が出た。」
Tie nda xulaa-jin ii.「彼は私にとって（DAT）介護人だ。」

確認できる場合も検討する必要がある。また 2 人称主語の平叙文の例が挙がっていない。

6 土族語互助方言の資料

限られた範囲であるが土族語互助方言に現れる-*wa*, -*ja*, -*jii* の主語の人称別の分布を調べてみた。6.1 は哈拉直溝方言，6.2 は東溝方言である。6.1 と 6.2 で-*wa* の分布に明確な差がある。以下の記号を用いる。Ⅰ：1 人称，Ⅱ：2 人称，Ⅲ：3 人称，Q：疑問文，'：明示的な 1 人称の主語以外の項がある，"：暗示的な 1 人称の関与がある。

6.1 Тодаева (1973: 306-312) 哈拉直溝方言

Тодаева (1973: 306-312)に 150 の文がある。コンテクストははっきりしない。主語の人称別の-*wa*, -*ja* の分布は以下の通りである。-*jii* は現れない。

Тодаева (1973: 306-312)における-*wa*, -*ja* の分布

	Ⅰ	Ⅱ	Ⅱ'	Ⅲ	Ⅲ'	Ⅲ"	Ⅰ Q	Ⅱ Q	Ⅲ Q
-*wa*	1	4		9	2	2		1	
-*ja*				14	1	1			1

この分布を見ると，-*ja* を非自己的標識だと主張することは問題がなさそうであるが，-*wa* の 3 人称主語が 1 人称主語より多いため，-*wa* が自己性標識だと結論するのは難しい。

6.2 清格尔泰等編 (1988: 3-47) 東溝方言

清格尔泰等編（1988: 3-47）に日常会話の文がある。

清格尔泰等編（1988: 3-47）における-wa, -ja, -jii の分布

	I	II	II'	III	III'	III"	I Q	II Q	III Q
-wa	11			1				5	
-ja	4	1		6	2	2		3	4
-jii	8		1		2			2	

この分布の-jii は明らかに自己性標識である。-wa も自己性標識だと結論づけ
てもよさそうである。第 7 節で具体例を示す。

7 土族語互助方言の例

　1 人称平叙文及び 2 人称疑問文における自己性の出現は多数あるので，そ
れ以外の場合についての例を示す。表記は李克郁式の正書法に置き換える。
話し手の関与について Åkerman(2012: 47-49)は東溝郷大庄の言語[18]に基づいて，
親族名称，主語の所有者，目的語の所有者，句の指示対象の例を挙げている
が，親族名称以外に明示的でない場合に関する記述がない。以下哈拉直溝方
言（Тодаева），沙塘川方言（Schröder），東溝方言（清格尔泰等編著）からの
例を示す。Åkerman が指摘していないケースについて述べる。7.4 の場合を除
いて-wa が自己性標識であることを主張するのは問題がなさそうである。

7.1 関係節の主語に話し手が明示されている例

(1)　*Buda　ghuilo=nu　adalla-gu　　moor=nu　tagsili-wa.*
　　 1PL　　二=GEN　　暮らす-PART　道=ACC　　絶つ-PAST.EGO
　　 私たちの暮らす道を絶ちました。Тодаева (1973: 265)

7.2 書き手が母語話者の場合

　次の例は話し言葉ではなく書き言葉である。書き手は土族の研究者，李克
郁である。

---

[18] Åkerman (2012: 5)はこの言語を哈拉直溝方言と見なしているが、Тодаева (1973)の記
述した哈拉直溝方言とはかなり違いがある。

67

(2) *Ne   nambur   mongghul   kun   pujig   gui-gu*
これ 時   土族   人   文字   NEG-PART
di=sa   pujig-dii   dii=du   uro-<u>wa</u>.
時代=ABL   文字-持つ   時代=DAT   入る-PAST.EGO
この時土族は文字がない時代から文字がある時代に入った。
　　清格尓泰等編著(1988: 64-65)

7.3　2人称主語の場合

　以下の例は婚礼の際に新婦側の人が新郎側からの贈り物をけなして歌うものである。3行目に2人称主語の文に-*wa*が用いられている。

(3) *Ta=nu   ude=sa=nge   ghari-gu=du*
2SG-GEN 門=ABL=INDEF   出る-PART=DAT
qighsan   honi   daafuula-j-a.
白い   羊   送る-PAST-N.EGO
ta-sge   honi   gɪ-jɪ   uje-<u>wa</u>.
2-PL   羊   と-CONV 見る-PAST.EGO
buda-sge   mauxi=du   uje-wa.
1-PL   猫=DAT   見る-PAST.EGO
あなたが門を出るとき、白い羊を送った。あなたがたは羊だと思った。
私たちには猫に見えた。　Тодаева (1973: 189)

7.4　話し手の関与が感じられない例

　コンテキストから話し手の関与が感じられないものがわずかながら存在する。これに関する考察は今後の課題である。
　次の例は格言と比喩という項目に掲載されているものである。

(4) *Anjighai   niudur   haila-<u>wa</u>.*　　　　　　　雀が一日鳴いた。
雀   一日   鳴く-PAST.EGO

68

Shwaawag	*nigaama*	*haila-sa*		蛙が一声鳴くと，
蛙	一声	鳴く-COND		
anjighai	*yoro*	*bura-j-a.*		雀は声を止めた。
雀	声	終わる-PAST-N.EGO		Schröder (1959: 181)

　以下の例は婚礼の際に仲人によって歌われる歌の一つである。同じ歌が Schröder (1952)にもあり，Тодаева (1973: 287)の-*wa* (EGO)は-*ja* (N.EGO)となっている。

(5) 　*Nara* 　*sara* 　*ghuilo* 　*wa*
　　　太陽　月　二　　　COP.N.EGO　　　太陽と月がある。
　　　Nara 　*muxi* 　*yau-san* 　*ba*
　　　太陽　先に　行く-PART PRT　　　太陽が先に行った。
　　　Sara 　*huino* 　*liila-wa.*
　　　月　　後に　残る-PAST.EGO　　　月が後に残った。

　　　Lumu 　*sumu* 　*ghuilo* 　*wa.*　　　弓と矢がある。
　　　弓　　矢が　二　　　COP.N.EGO
　　　Sumu 　*muxi* 　*yau-san* 　*ba.*　　　矢が先に行った。
　　　弓　　先に　行く-PART　PRT
　　　Lumu 　*huino* 　*liila-wa.*　　　弓が後に残った。
　　　弓　　後に　残る-PAST.EGO

　　　Longhu 　*qogjog* 　*ghuilo* 　*wa.*　　　瓶と祝杯がある。
　　　瓶　　祝杯　二　　　COP.N.EGO
　　　Qogjog 　*muxi* 　*yau-san* 　*ba.*　　　祝杯が先に行った。
　　　祝杯　先に　行く-PART　PRT
　　　Longhu 　*huino* 　*liili-wa.*　　　瓶が後に残った。
　　　瓶　　後　残る-PAST.EGO Тодаева (1973: 287)

次の例は童謡である。

(6)　*Ghuraan　nasi-du　　bulai*　　　　三歳の子ども
　　三　　　年齢-がある　子ども

　Kugo　tinger=du　ghar-aanu,　　　　蒼天に昇って
　蒼　　天=DAT　　上がる-CONV

　Haldan　liu=nu　wari-<u>wa</u>.　　　　金の龍を捕まえた。
　金　　龍=ACC　取る-PAST.EGO

　Haldan　snaaxja=nu　joo-lgh-oonu　　金の鼻輪を付けさせて
　金　　鼻輪=ACC　身につける-CAUS-CONV

　Haldan　ramdula　hulo-<u>wa</u>.　　　　金の鞭をつないだ。
　金　　鞭　　つなぐ-PAST-EGO

清格尔泰泰等編 (1988: 456)

8　結論

　土族語互助方言の記述では-*wa* が中立とされていることが多い。その理由は対応する非自己性の形式が存在しないことと，通常非自己性に現れる母音 *a* を持っていることであろう。しかし Åkerman が指摘するように-*wa* は非自己性標識-*ja* に対応する自己性標識であると見なすことのほうが妥当性がある。この判断は対応する土族語民和方言 (-*ba*)，保安語同仁方言 (-*to*, *wa*)，保安語積石山方言 (-*o*)の形式からも間接的に支持される。また Slater (2018: 240-245)は土族語民和方言，土族語互助方言，保安語同仁方言，康家語，東部裕固語で早い段階に terminative suffix -*ba* が perfective direct evidential として再分析されたという通時的モデルを提案している[19]。これが事実なら-*wa* は早い時期に他の形式から分離したものであるため，土族語互助方言ではもっぱら非自己性標識に現れる母音 *a* が自己性標識に現れても不自然ではないと言える。

---

[19] ただし Slater (2018: 233)は保安語積石山方言 (Gansu Bao'an)には自己性範疇がないと誤解している。

略号

ABL	奪格		INDEF	不定冠詞
ACC	対格		NEG	否定
ATTR	限定		N.EGO	非自己性
CAUS	使役		PART	形動詞
COND	条件		PAST	過去
CONV	副動詞		PL	複数
COP	コピュラ		PRT	助詞
DAT	与位格		SG	単数
EGO	自己性		1	1人称
GEN	属格		2	2人称

参考文献

Åkerman, Vera (2012) Inflection of Finite Verbs in Mongghul.
http://www.sil.org/silewp/2012/silewp2012-003Final.pdf（2020年6月24日）

Bergqvist, Henrik (2018) The role of sentence type in Ika (Arwako) egophoric marking. Simon Floyd, Elizabeth Norcliffe and Lila San Roque (eds.) *Egophoricity.* John Benjamins Publishing Company. Amsterdam/Philadelphia. 347-375.

Bergqvist, Henrik, Dominique Knuchel (2017) Complexity in Egophoric Marking: From Agents to Attitude Holders. https://doi.org/10.1515/opli-2017-0018 (2019年12月28日)

Bogal-Allbritten, Elizabeth and Anisa Schardl (2014) Expressing Uncertainty with *gisa* in Tshangla. Robert E. Santana-LaBarge (ed.) *Proceedings of the 31st West Coast Conference on Formal Linguistics.* 76-85.

Faehndrich, Burgel R. M. (2007) *Sketch Grammar of the Karlong Variety of Mongghul, and Dialectal Survey of Mongghul.* Ph. D. dissertation, University of Hawaii.

Floyd, Simeon (2018) Egophoricity and argument structure in Cha'palaa. Simeon Floyd, Elizabeth Norcliffe, Lila San Roque (eds.) *Egophoricity.* John Benjamins Publishing Company. Amsterdam/Philadelphia. 269-304.

Fried, Robert Wayne (2010) *A Grammar of Bao'an Tu, A Mongolic Language of Northwest China.* Ph. D. dissertation, University of Buffalo, State University of New York.

Georg, Stefan (2003) Mongghul, Janhunen, Juha (ed.) *The Mongolic Languages.* Routledge Taylor & Francis Group, London and New York. 286-306.

Hale, Austin (1980) Person Markers: Finite Conjunct and Disjunct Verb Forms in Newari. Trail, R. (ed.) *Papers in Southeast Asian Linguistics* 7, Canberra: Pacific Linguistics. 95. 1-6.

Hargreaves, David (2005) Agency and Intentional Action in Kathmandu Newari, *Himalayan Linguistics* 5. 1-48.

Knuchel, Dominique (2015) A comparative study of egophoric marking, Investigating its relation to person and epistemic marking in three languages families. http://www.diva-portsl.org/smash/get/diva2:821317/FULLTEXTol.pdf
（2019 年 5 月 18 日）

Norcliffe, Elizabeth (2018) Egophoricity and evidentiality in Guambiano (Nam Trik). Simeon Floyd, Elizabeth Norcliffe, Lila San Roque (eds.) *Egophoricity.* John Benjamins Publishing Company. Amsterdam/Philadelphia. 305-345.

San Roque, Lila, Simeon Floyd and Elizabeth Norcliffe (2018) Egophoricity. An Introduction. Simeon Floyd, Elizabeth Norcliffe, Lila San Roque (eds.) *Egophoricity.* John Benjamins Publishing Company. Amsterdam/Philadelphia. 1-77.

Sandman, Erika (2018) Egophoricity in Wutun. Simeon Floyd, Elizabeth Norcliffe, Lila San Roque (eds.) *Egophoricity.* John Benjamins Publishing Company. Amsterdam/Philadelphia. 173-196.

Schröder, Dominik (1952) Einige Hochzeitslieder der Tujen. *Folklore Studies, Supplement* 1. 303-354.

Schröder, Dominik (1959) *Aus der Volksdichtung der Monguor*, 1. Teil. Otto Harrassowitz. Wiesbaden.

Slater, Keith W. (2003) *A Grammar of Mangghuer, A Mongolic Language of China's Qinghai-Gansu Sprachbund.* Routledge Curzon. Taylor & Francis, London &

New York.

Slater, Keith. W. (2018) Morphological innovations in Mangghuer and Shirongolic. Reconstructing the formal emergence of the subjective vs objective distinction. Simeon Floyd, Elizabeth Norcliffe, Lila San Roque (eds.) *Egophoricity.* John Benjamins Publishing Company. Amsterdam/Philadelphia, 225-267.

Suzuki, Hiroyuki (2016) The Evidential System of Zhollam Tibetan. Lauren Gawne, Nathan W. Hill (eds.) *Evidential systems of Tibetan languages.* De Gruyter Mouton. 421-444.

Тодаева, Б. Х. (1973) *Монгорский язык,* Издательство <<наука>> главная редакция восточной литературы. Москва.

Tournadre, Nicolas (2008) Arguments against the Concept of 'Conjunct'/'Disjunct' in Tibetan. Brigitte Huber, Marianne Volkart, Paul Widmer & Peter Schwier (eds.) *Chomolangma, Demawend und Kasbek, Festschrift für Roland Bielmeier zu seinem 65, Geburtstag,* Halle: International Institute for Tibetan and Buddhist Studies GmbH. 281-308.

陳乃雄等編 (1987)『保安語話語材料』蒙古語族語言方言叢書 012. 内蒙古人民出版社.

清格尓泰等編 (1988)『土族語話語材料』蒙古語族語言方言叢書 015. 蒙古人民出版社.

清格尓泰編著, 李克郁校閲 (1991)『土族語和蒙古語』蒙古語族語言方言研究叢書 013. 内蒙古人民出版社.

照那斯圖編著 (1981)『土族語簡志』中国少数民族語言簡志叢書　民族出版社.

角道正佳 (2018)「土族語の Conjunct/Disjunct について」*Diversity and Dynamics of Eurasian Languages.* The 20th Commemorative Volume. ユーラシア言語研究コンソーシアム. 神戸市看護大学. 161-177.

佐藤暢治 (2016)「保安語積石山方言の話し手は文が表す事態をどのように捉えているのか」『日本言語学会第 153 回大会予稿集』. 336-341.

シンハラ語における証拠性
Evidentiality in Sinhala

宮岸　哲也（安田女子大学）
Tetsuya Miyagishi (Yasuda Women's University)

要　旨

　シンハラ語の文法形式における証拠性は、情報源に関わるモダリティ形式と完了を表すアスペクト形式に見ることができる。前者には他者からの報告に基づく証拠性マーカーの *lu* と、話者自身の感覚に基づき推論する証拠性マーカーの *wagee* がある。後者は判断を表す表現で、完了を表す動詞過去分詞と、これに存在動詞が補助動詞として後続した形式があり、無生物の存在動詞が使われる場合は間接的証拠、有生物の存在動詞が使われる場合は直接証拠を表す。

キーワード：モダリティ形式、アスペクト形式、推論、報告、判断

1　はじめに

　小論は、インド・アーリア語派のシンハラ語の証拠性について記述するものであるが、その前提として、まず証拠性の定義付が必要となる。Aikhenvald (2006: 320) は以下のように述べている。

　Evidentiality is a grammatical category that has source of information as its primary meaning — whether the narrator actually saw what is being described, or made inferences about it based on some evidence, or was told about it, etc.

　本稿では上記に従い、証拠性を情報源についての文法的範疇とし、具体的には、表現されたことが話し手自身の実際の観察によるものなのか、それとも、何らかの証拠に基づく推論によるものなのか、或いは他の誰かが述べたことなのか等を表す文法的形式とする。また、Aikhenvald (2015: 239) では証

拠性の特徴として、以下のように述べている。

Evidentiality can be expressed autonomously, or be fused with another grammatical category, including aspect, tense, or mood for verbs, or spatial distance and topicality for noun phrases.

従って、本稿では自律的な証拠性の標識に限定せず、他の文法範疇とも融合した証拠性についても考察の対象とし、シンハラ語の証拠性について幅広く見ていくことにする。

2 先行研究

シンハラ語の証拠性について体系的に記述した先行研究は、管見の限りまだない。シンハラ語における証拠性の言及は、以下に示すように今までアスペクト研究やモダリティ研究の一環として部分的に扱われてきただけである。

Karunatillake (1990-1994) は、動詞過去分詞を持つ構文の意味的分類を試みている。そして、動詞過去分詞で終わる文と、動詞過去分詞の後に存在動詞が補助動詞として続く文の中に、証拠や伝聞に基づいた文があることを指摘している。シンハラ語の証拠性について明確に意識した論考が現れる前に、このような指摘が既にあったことは、大変興味深いことである。しかし、Karunatillake (1990-1994) より後の研究におけるシンハラ語の証拠性の言及には、このアスペクト形式が現れてこない。このことは、最近のシンハラ語の証拠性に関する言及が Palmer (1986) 以降のモダリティとしての証拠性研究に基づいているためだと考えられる。

次に、Chandralal (2010) は、認識モダリティ(Epistemic modality) についての言及の中で、証拠に基づく類推の *waage*[1]と、伝聞に基づく証拠を表す *lu* を取り上げ、確実性の違いを表すだけの他のモダリティ表現とは区別をしている。それらの中で、*æti*（〜かもしれない、〜に違いない）については、前に来る動詞の形式が不定詞である場合と叙述形である場合で、前者は話者の主観的

---

[1] *waage* は *wagee* と同義である（野口 1992: 591）。

な推測（憶測）に基づくのに対し、後者は時間的に枠組みされ、何らかの証拠性が示されているとしている (Chandralal 2010: 262)。

　Thampoe (2016: 135) は、Velupillai (2012) に倣い、図1のような命題モダリティ(Propositional modality)の類型論的な分類を示し、その下位分類としての証拠的モダリティ (Evidential modality) と認識モダリティを区別している。証拠的モダリティの下位分類には、更に直接的証拠と間接的証拠があるが、シンハラ語には直接的証拠はなく、間接的証拠の推測 (inference) を表す *wagee*, *æti* と伝聞 (quotative) を表す *lu* が存在すると述べている (Thampoe 2016: 135)。

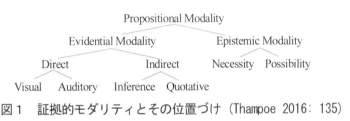

図1　証拠的モダリティとその位置づけ（Thampoe 2016：135）

　シンハラ語の証拠性について、Chandralal (2010) と Thampoe (2016) はどちらもモダリティ形式として論じている。しかし、証拠性は認識モダリティや他のモダリティの下位分類ではないとの指摘もある (Aikhenvald 2015: 320)。本稿では、先行研究 (Karunatillake 1990-1994; Chandralal 2010; Thampoe 2016) を検証・修正しつつ、統合させた上でシンハラ語の証拠性に関する包括的な記述を試みる。具体的には、先行研究で取り上げられたシンハラ語の証拠性を表す文法形式が、本当に証拠性を表すのかどうかをはじめ、本論集の特集論文に与えられた共通の検討項目、つまり、証拠性を表す文法形式は，①接辞なのか，接語なのか，語なのか，②義務的に現れるのか、③他の文法範疇（時制・人称・文の種類）とどのように相関するのか、④意外性などの拡張用法が存在するのかについても併せて見ていくことにする。

3 *wagee*

3.1 *wagee* の諸用法

　wagee はシンハラ語において証拠性を表す以前に、基本的に (1) のような

類似を表すほか、(2) のような例示、(3)(4) のような凡その数量を表す。*wagee* は発音上は直前の語と結びついているが、構文的には (4) のように、それよりも前の語も含めて結びついている場合もあり、基本的に接語である。

(1) *eyaa japan bhaashaawə japan jaatikəye-k wagee caturəlesə kata kərənəwa.*
　　　3.SG 日本　言語　　　日本人-IND　　　WAGEE 上手に　　話す
　　「彼は日本人のように日本語を上手に話す。」 (国際交流基金 2002: 893)

(2) *eyaa wagee　mahattaye-k*　(Karunatillake 1992: 128)
　　　3.SG WAGEE　紳士-IND
　　「彼のような紳士」

(3) *mamə hæmədaamə wagee kantooruwə-ṭə yanəwa.* (Karunatillake 1992: 128)
　　　1.SG　毎日　　　　WAGEE 事務所-DAT　行く
　　「私は毎日のように事務職に行く。」

(4) *hawəsə hayəṭə wagee yannə.* (Karunatillake 1992: 128)
　　　午後　　6時　　WAGEE　来る.INF
　　「午後六時ごろ来なさい。」

3.2　*wagee* の証拠性マーカーとしての用法

　次に *wagee* の証拠性マーカーの用法を見ていくことにする。Chandralal (2010: 262) は、以下の (5) a, b, c の例を挙げ、話し手の推測が何らかの証拠に基づいている場合、*wagee* によって表されると述べている。これらの例の通り、現在、過去、未来のいずれも可能であり、時制の制限はない。

(5) a. *minihaa aapahu yanəwa wagee.* (Chandralal 2010: 262)
　　　　男　　　帰る　　行く　　WAGEE
　　　「男は戻るようだ。」

　　b. *minihaa aapahu gihin　wagee.* (Chandralal 2010: 262)
　　　　男　　　帰る　　行く.PP WAGEE
　　　「男はすでに戻ったようだ。」

78

c. *adə   wahi-i*   *wagee.* (Chandralal 2010: 262)

今日 雨が降る-INFR WAGEE

「今日は雨が降るようだ。」

　主語の人称の制限についても、シンハラ語母語話者のインフォーマントに
(6) の作例を確認したところ、１，２，３人称のいずれも可能である。

(6) *matə*   / *obə-tə* / *eyaa-tə*   *hembirissaava hædenəwa wagee.*
　　1.SG.DAT   2.SG-DAT   3.SG-DAT 風邪   作る.INV WAGEE

「私／あなた／彼は、風邪をひいているようだ。」

文の種類については、疑問文には使用できるが、否定文には使用できない。

(7) *matə*   / *obə-tə* / *eyaa-tə*   *hembirissaava hædenəwa wagee də?*
　　1.SG.DAT   2.SG-DAT   3.SG-DAT 風邪   作る.INV   WAGEE Q

「私／あなた／彼は風邪をひいているようか。」

(8) **matə*   / ** obə-tə* / **eyaa-tə*   *hembirissaava hædenəwa wagee næ æ.*
　　1.SG.DAT   2.SG-DAT   3.SG-DAT 風邪   作る.INV   WAGEE NEG

「私／あなた／彼は風邪をひいているようではない。」

　なお、Chandralal (2010: 262) では特に推測の証拠となる情報源の種類につ
いての具体的な言及はないが、Thampoe (2016) では (9) の例により、*wagee*
が直接的証拠ではなく、間接的証拠を表すと述べている[2]。(9) のような発話
は、インフォーマントによれば、会議室の外にいて、静かだった会議室の中
から人々の声が聞こえてきたような場面で使うことができるようである。

---

[2] Thampoe (2016: 131) は、直接的証拠とは話し手が主に視覚や聴覚などの感覚による
証拠を持っている場合を表し、間接的証拠とは話し手が出来事の目撃者ではなく、出
来事の後でそれを学んだ場合を表すと述べている。

(9) *raswiimə iwərai   wagee.* (Thampoe 2016: 131)

　　会議　　終わる　WAGEE

　「会議が終わったようだ。」

　しかし、(10)a-d の例は、いずれも話し手が発話時において出来事の目撃者
となっているため、*wagee* が直接的証拠の場合にも用いられることがわかる。
これらの例は日本語文の様態を表す「〜そう」のシンハラ語対訳として提示
されたもので、直接的な視覚情報に基づく類推である。

(10) a. *mee   kæwili rasə-yi   wagee.*

　　　この　お菓子　美味しい-AM WAGEE

　　　「このお菓子は美味しそうだね。」

　　b. *mee   pihiyə   hoⁿdə-ṭə   kæpenəwa wagee.*

　　　この　ナイフ　よい-DAT 切れる　　　WAGEE

　　　「このナイフはよく切れそうだね。」

　　c. *kanassəlen wagee. moka-k hari   karədəya-k də ?*

　　　心配　　　　WAGEE 何-IND でも　問題-IND　Q

　　　「心配そうな顔をしているね。どうしたんだ。」

　　d. *mee   ṭayi paṭiyə hoⁿdə-yi   wagee   nisaa meekə gani-mu.*

　　　この　ネクタイ　よい-AM WAGEE ので　これ　買う-SOL

　　　「このネクタイはよさそうだから買おう。」

(国際交流基金 2002: 695)

　更に、情報がどのような感覚によって得られたかについても、*wagee* の後
に動詞を続けることで示すことができる。(11) は視覚、(12) は聴覚の例であ
る。なお、(12) はインターネット版のシンハラ語新聞からの用例である。

(11) *maṭə   eekə   hoⁿdə wagee   peenəwa.* (Karunatillake 1992: 222)

　　私.DAT それ　よい　WAGEE　見える

　　「私にはそれが良さそうに見える。」

(12) *koləᵐbə   koocciyə enəwa wagee æhenəwa.*
コロンボ 列車　来る　**WAGEE** 聞こえる
「コロンボ行き列車が来ているように聞こえる。」
(https://mawbima.lk/backend/uploads/e_paper/2020-01-02-Main.pdf)

　また、(13) の作例は「焦げた臭い」という嗅覚の証拠をもとにした推測を表す文であり、この場合も *wagee* を用いることができる。但し、この場合、嗅覚を表す動詞とは共起できない。

(13) *bat-ekə   karəwuna   wagee.*
ご飯-DIF　焦げる.PST **WAGEE**
「ご飯が焦げたようだ。」

　以上、*wagee* が証拠の直接・間接に関わらず、視覚、聴覚、嗅覚等の様々な感覚で得られた証拠をもとした推測において用いられることを見てきた。
　次に、*wagee* が証拠に基づく推測表現において義務的に現れるかどうかを検証する。そのために、語彙的な方法で証拠性を表す *maṭə peenə vidiyəṭə*[3]「私が見たところ」を用いて考えてみたい。この句は、*peenəwa*「見える」という視覚動詞をもとに作られているが、(14) は聴覚による推測であり、情報源は視覚的情報に限定されない。そして、(14) において文末の *wagee* は、文頭の *maṭə peenə vidiyəṭə* と共起するが、*maṭə peenə vidiyəṭə* を残しておけば省略も可能である。この点から見れば、推測表現において *wagee* は義務的とは言えない。但し、*maṭə peenə vidiyəṭə* も *wagee* もない文は、もはや推測表現ではない。

(14) *maṭə   peenə   widiyə-ṭə   alləpu gedərə ayə raṇḍu wenəwa (wagee).*
1.SG.　見える.VA 方法-DAT 隣り 家　　人々 喧嘩する　　**WAGEE**
「どうやら隣の家では喧嘩をしているようだ。」（大声が聞こえる）

---

[3] *maṭə peenə vidiyəṭə* は口語的表現であり、文語的表現は *maṭə penenə vidihəṭə* である。

maṭə peenə vidiyəṭə の機能には、上述の通り証拠性に基づいた推測表現として の補強、代用の他に、限定の機能もある。(15) の例は何の文脈もなければ 類似と証拠性に基づく推測の二つの解釈が可能である。しかし、(16) では *maṭə peenə vidiyəṭə* があるために、証拠性に基づく推測の意味に限定される。

(15) *mee   keñdi kapu wagee.*
　　この　繊維　綿　　**WAGEE**
　　「この繊維は綿に似ている。」（綿以外の素材であることを知っている）
　　「この繊維は綿のようだ。」（手で触ると綿の感触がある）

(16) *maṭə   peenə   vidiyə-ṭə   mee   keñdi kapu wagee.*
　　1.SG.DAT 見る.VA 方法-DAT この　繊維　綿　　**WAGEE**
　　「私が見たところどうやら、この繊維は綿のようだ。」

なお、インフォーマントに確認したところ、*wagee* には意外性などのその 他の拡張用法は認められなかった。

4　*lu*

lu は伝聞全般を表すマーカーである。Karunatillake (1992: 182) では reportative、Chandralal (2010: 263) では hearsay、Thampoe (2016: 153) では quotative を表す接語として紹介している[4]。 (17) は hearsay の例で、(18) は quotative の例であり、シンハラ語では hearsay と quotative を形態的に区別し ない。*lu* はすでに上記の先行研究で接語であると指摘されているが、(19) は それを検証するための例である。(19) で *lu* は発音上は直前の *kaar-ekə* と結び ついているが、構文的にはそれよりも前の *oyaa-ge kaar-ekə* も含めて結びつい ている。

---

[4] hearsay は目撃者以外の人物から聞いた情報の報告であるのに対し、quotative は目撃 者から直接的に聞いた情報の報告として区別される (玉地 2005: 21)。

(17) *minihaa pagaa gannəwa lu.* (Chandralal 2010: 263)

　　男　　　賄賂 もらう　**LU**

　　「男は賄賂をもらっているそうだ。」（情報源は男以外の誰か）

(18) *oyaa-ge　　kaar-eka eyaa gannəwa lu.* (Thampoe 2016: 153)

　　 2.SG-GEN 車-DIF　3.SG 買う　**LU**

　　「あなたの車を彼が買うそうだ。」　　（情報源は「彼」）

(19) *oyaa-ge　　kaar-ekə lu　eyaa　ganne.*

　　 2.SG-GEN 車-DIF　**LU**　3.SG 買う.FOC

　　「彼が買うのはあなたの車だそうだ。」

lu は基本的に時制制限がない。(20) の例において a は現在、b は過去、c は未来の時制である。また *lu* は (21) の通り人称制限もない。

(20) a. *mahattəyaa liyuma-k liyənəwa lu.* (Karunatillake 1992: 182)

　　　紳士　　　手紙-IND 書く　**LU**

　　　「紳士は手紙を書いているそうだ。」

　　b. *putaa kaDee-ṭə giyaa　　　lu.* (Karunatillake 1992: 182)

　　　息子 店-DAT　行く.PST **LU**

　　　「息子は店に行ったそうだ。」

　　c. *adə　ehe　paatiya-k　　　lu.* (Chandralal 2010: 263)

　　　今日 ここ パーティー-IND **LU**

　　　「今日ここでパーティーがあるそうだ。」

(21) *maṭə　　/　obə-ṭə　/　eyaa-ṭə　hembirissaava lu.*

　　1.SG.DAT　2.SG.DAT　3.SG.DAT 風邪　　　**LU**

　　「私／あなた／彼は風邪をひいているそうです。」（医者から聞いた）

但し、*lu* は (22) (23) のように疑問文や否定文にすることができない。

(22) * maṭə / * obə-ṭə / * eyaa-ṭə hembirissaava lu də?
　　1.SG.DAT　2.SG.DAT　3.SG.DAT 風邪　　　LU Q
　　「私／あなた／彼は風邪をひいているそうか。」

(23) * maṭə / * obə-ṭə / * eyaa-ṭə hembirissaava lu nææ.
　　1.SG.DAT　2.SG.DAT　3.SG.DAT 風邪　　　LU NEG
　　「私／あなた／彼は風邪をひいているそうではない。」

なお、証拠となる情報源を明示するには、(24) のように与格名詞に後置詞 *anuwə* をつけた句を文頭に置けばよい。この場合、文末の *lu* は省略可能であることから、証拠となる情報源を明示する句が文中に含まれている限り、伝聞マーカーの *lu* は義務的ではない。もちろん、証拠となる情報源を明示する句も伝聞マーカーもなければ、もはや伝聞を表す文ではない。

(24) *kaaləguṇə waartaawə-ṭə anuwə heṭə wahinəwa (lu)* .
　　天気　　予報-DAT　ANUWA 明日 雨が降る LU
　　「天気予報によると、明日は雨が降るそうです。」

（国際交流基金 2002: 694）

lu に意外性などの拡張用法があるかについては、インフォーマントに確認しても見つけることができなかった。
　この節の最後に、*wagee* と *lu* が共起する (25) についても述べる。この例は、風邪の前兆があることを他者から言われた場合に用いられ、近未来的な状況を表している。これは遠い未来を表す(26) のような文とは区別される。

(25) *maṭə hembirissaava hædenəwa wagee lu.*
　　1.SG.DAT 風邪　　　作る.INV WAGEE LU
　　「私はもうすぐで風邪を引きそうなのだそうだ。」

(26) *maṭə loku leḍak hæde-yi lu.*
　　1.SG.DAT 大きい 病気 作る.INV-INFR LU
　　私は（将来）大きな病気にかかるそうです。（占い、医者の忠告）

5　*æti*

æti は、「〜だろう」「〜に違いない」に相当する推測を表し、必ずしも証拠性を示すものではない。しかし、Chandralal (2010: 262) によれば、*æti* の前に来る形式の違いが証拠性の有無に影響を及ぼす。(27) のよう *æti* の前に来る形式が不定詞である場合には話し手の主観的な判断に基づく憶測を表すのに対し、(28) のような時制情報を持った形式であれば、何らかの証拠性が示されるという。但し、インフォーマントによれば、(28a)ではどのような証拠性があるのか想定できないが、(28b) では、例えば既に男が出発してから相当の時間が過ぎているというようなことが証拠性として想定できるようである。(28a) と (28b) の違いは *æti* の前に来る動詞が、非過去形か過去分詞形かの違いであるが、後者にのみ証拠性が認められるのも、次節で述べる完了のアスペクト形式による証拠性によるものであると考えられる。したがって、本論では、基本的に *æti* 自体には証拠性が含まれないと考える。

(27) *miniha gedərə yannə　æti.* (Chandralal 2010: 262)

　　　男　　家　　　行く.INF ÆTI

　　「男は家に帰ったに違いない。」

(28) a. *miniha dæn yanəwa æti.* (Chandralal 2010: 262)

　　　　　男　　今　行く　ÆTI

　　　　「彼は今行っているに違いない。」

　　 b.*dæn miniha gedərə gihin　　æti.* (Chandralal 2010: 262)

　　　　　今　男　　家　　行く.PP ÆTI

　　　　「今男はすでに帰ったに違いない。」

6　アスペクト形式に見られる証拠性

Karunatillake (1990-1994) は、シンハラ語動詞の過去分詞を動作の完了を表すことから完了テンス形 (perfect tense form) と呼び、この形式を持つ様々な用法を指摘している。本稿では動作の完了は、発話時を基準にした発話内容の起こった時を表しているわけではないので、アスペクト形式として扱うこ

とにする。

　完了のアスペクト形式の諸用法として、(Karunatillake 1990-1994) は (29)
の例を挙げている。(29a) は無生物主語の無意志動詞文で、一般的な状況にお
ける確定的な表現として用いられる。(29b) は一人称主語文において動作の
結果を突然知った時の驚きを表す用法である。この例は、証拠性を表す文法
形式の意外性への拡張用法としても指摘できる。(29c) は接続用法である。更
に、この形式の後に補助動詞を繋げることで様々な意味を表すことができる。
証拠性を含意する用法については次の項で見ていくことにする。

(29) a. *gaha wœtila.* (Karunatillake 1990-1994: 74)

　　　木　倒れる.PP

　　　「木が倒れた。」

　　b. *api　wiski　　　biīla.* (Karunatillake 1990-1994: 74)

　　　1.PL　ウイスキー　飲む.PP

　　　「私達はウイスキーを飲んでしまった。」（知らずのうちに）

　　c. *amma uyɔla　　naan ɖo　　　giya.* (Karunatıllakc 1990-1994: 75)

　　　母　　作る.PP 沐浴する-INF　行く.PST

　　　「母はご飯を作って、沐浴に行った。」

6.1　完了のアスペクト形式に含意される証拠性

Karunatillake (1990-1994: 74) は完了のアスペクト形式の用法に一つに、動
作の結果に注目して動作の完了(completion of an action) を表す用法があり、
(30) の例を挙げている。これらの表現は、例えば日本語訳の横に示した（　）
に示したような状況を根拠に判断して述べたもので、言述されたような現場
を直接目撃して述べたものではない。これらの例では一般的に意志動詞が用
いられる(Karunatillake 1990-1994: 74)。

(30) a. *eyaa kœœmə kaala.* (Karunatillake 1990-1994: 74)

　　　3.SG　ご飯　　食べる.PP

　　　「彼はご飯を食べた。」（皿には食べ物が残っていない）

b. *taatta beet biila.* (Karunatillake 1990-1994: 74)

　父　薬　飲む.PP

　「父は薬を飲んだ。」（瓶の中にはもう薬がない）

c. *kamal　gihilla.* (Karunatillake 1990-1994: 74)

　カマル　行く.PP

　「カマルはもう行った。」（辺りを見回してもカマルは見当たらない）

　更に、Karunatillake (1990-1994: 75) は、完了のアスペクト形式の用法のもう一つに、事実の報告や伝聞があり、過去形に伝聞マーカーの *lu* を付けた文とほとんど同じだと述べている。但し、インフォーマントによれば、(31a)を伝聞の意味で解釈することはできず、弟がその場所にいない等の状況を証拠に述べるような文としてしか解釈できないようである。

(31) a. *malli gihilla.* (Karunatillake 1990-1994: 75)

　　弟　行く.PP

　　「弟は行った（そうだ）。」

b. *malli giya-lu.* (Karunatillake 1990-1994: 75)

　　弟　行く.PST-LU

　　「弟は行ったそうだ。」

6.2　完了のアスペクト形式が存在補助動詞を伴った文の証拠性

　Karunatillake (1990-1994: 79) では (32) のように、完了のアスペクト形式に存在動詞 *tiyenəwa*（ある）が補助動詞として伴っている文に、経験や過去・現在の習慣などを表すものがあることを示している。

(32) a. *api　itaali　kæ æmə kaala　tiyenəwa.*

　　1.PL イタリア ご飯　食べる.PP ある

　　「私達はイタリア料理を食べたことがある。」

b. *eyaa lori   eləwəla   tiyenəwa.*

3.SG トラック.PL 運転する.PP ある

「彼は以前よくトラックを運転していた。」

c. *api uḍəraṭə   næṭun dækəla tiyenəwa.*

1.PL 高地地方 踊り.PL 観る.PP ある

「私達は高地地方の踊りを何度も観ている。」

(Karunatillake 1990-1994: 79)

　Karunatillake (1990-1994: 79) では、同様の構造を持つ文が更に (33) のよう
に明らかな証拠により強い確信を持って表す場合にも用いられると述べてい
る。なお、*tiyenəwa*（ある）は基本的に無生物の存在を表す場合に用いられる
動詞で、有生物の存在を表す *innəwa*（いる）とは区別される。それにも関わ
らず (33a) で *tiyenəwa* が用いられているのは、発話時においてその場所に泥
棒や誰かが存在するのではなく、言表されない証拠が事物として存在してい
るためであると考えられる。

(33) a. *adə apee   gedərə-ṭə horu æwilla tiyenəwa.*

今日 1.PL.GEN 家-DAT 泥棒 来る.PP ある

「今日私達の家に泥棒が入った。」（明らかな証拠がある）

b. *adə kawuruhari mage   pot aran   tiyenəwa.*

今日 誰か   1.SG.GEN 本 取る.PP ある

「今日誰かが私の本を手に取った。」（違うところに置いてあった）

(Karunatillake 1990-1994: 79)

　更に、Karunatillake (1990-1994: 81) では、(34) の例を示しながら、完了のア
スペクト形式が *tiyenəwa* と *innəwa* をとる場合の違いについて分析している。
話者がその現場で目撃したり、経験したりした直後に話す場合には (34b) の
ように *innəwa* が用いられる。インフォーマントによれば、(34a) は体の傷跡
や土汚れを根拠に、(34b) は転げ落ちるところは見ていないが、穴の中でうず
くまっている状況を根拠に、判断している文である。これらは、間接的証拠

と直接的証拠の違いとも言うことができる。

(34) a. *laməya wǽtila   tiyenəwa.* (Karunatillake 1990-1994: 81)

　　　子供　落ちる.PP　ある

　　　「子供は転げ落ちた。」（子供の体にそのような痕跡がある）

　　b. *laməya wǽtila   innəwa.*

　　　 子供　落ちる.PP　いる

　　　「子供が転げ落ちている。」（子供が落ちた場所にまだ留まっている）

　なお、上記2例の存在補助動詞は過去形にすることも可能で、過去の出来事として述べる場合に用いられる。(35a) は過去に判断した出来事として、(35b) は過去に目撃したこととして述べられている。因みに (34a) は *iiye*（昨日）をつけて言うことも可能で、この場合、事故が起きたのは昨日でも、怪我の跡がまだ残っている現在の状況を示している。一方、(34b) は *iiye* をつけて言うことができない。

(35) a. *iiye   laməya wǽtila   tibuna.*

　　　昨日　子供　落ちる.PP　ある.PST

　　　「子供は転げ落ちた。」（昨日状況的証拠から判断した）

　　b. *iiye   laməya wǽtila   unna*

　　　昨日　子供　落ちる.PP　いる.PST

　　　「昨日子供は転げ落ちていた。」（昨日穴の下にいる子供を見た）

　以上、完了アスペクト形式による証拠性をまとめると、この形式が本義的に証拠性を持っているわけではないが、使用される状況・場面により証拠性が含まれる。この形式に存在動詞が補助動詞をつけることも可能であり、その補助動詞が無生物の存在動詞であれば間接証拠、有生物の存在動詞であれば、直接証拠に基づく判断となる。

7　まとめ

　ここまでの議論をまとめると、シンハラ語の文法形式の証拠性は、大きく分けると、情報源に関わるモダリティ形式による証拠性と、完了のアスペクト形式による証拠性がある。前者は他者からの伝達情報によるものと、話者自身の感覚で得た情報によるもので区別されるが、いずれも推測の表現である。後者は文脈により証拠性を持つようになった判断の表現であり、無生・有生で区別される存在補助動詞により、証拠の間接性と直接性が区別される。

8　おわりに

　本論により、シンハラ語の証拠性が整理され、体系的に説明できたことは、証拠性の類型論的研究にも有益な情報を提供できるものと考える。とは言え、先行研究と今回の調査のインフォーマントの間で、証拠性の種類や有無について意見が分かれることもあったので、今後は、異なる年代や地域のシンハラ語母語話者を対象に調査を進めていくことが必要であろう。

略語

1: 1 人称代名詞	2: 2 人称代名詞	3: 3 人称代名詞	AM: 断定
DAT: 与格	DIF: 特定	FOC: 焦点形	GEN: 属格
IND: 不特定	INF: 不定詞	INFR: 推量	INV: 無意志動詞
NEG: 否定	PL: 複数	PP: 過去分詞	PST: 過去
Q: 疑問	SG: 単数	SOL: 勧誘	VA: 動詞連体形

謝辞

　シンハラ語母語話者で現在安田女子大学大学院博士後期課程に在籍しているパーリ仏教大学日本語教師のガヤトゥリ・デ・シルバさんに、本研究のインフォーマントとして協力していただいたことに厚く御礼を申し上げる。

参考文献

Aikhenvald, A. Y. (2006) Evidentiality in grammar. In: Brown, Keith, (ed.) *Encyclopedia of Languages and Linguistics*. Elsevier, Oxford, UK, pp. 320-325.

Aikhenvald, A. Y. (2015) Evidentials: their links with other grammatical categories. *Linguistic Typology*, 19 (2). pp. 239-277.

Chandralal, Dileep (2010) *Sinhala*. Amsterdam/Philadelphia: John Benjamins.

Karunatillake, W.S. (1990-1994) Perfect Tense in Spoken Sinhala. *KALYANI, Journal of Humanities and Social Sciences of the University of Kelaniya*. Vol. IX-XIII, pp. 71-114.

Karunatillake, W.S. (1992) *An Introduction to Spoken Sinhala*. Colombo: M D Gunasena.

Palmer, F. R. (1986) Mood and modality. Cambridge University Press.

Thampoe, Harold D. (2016) *Sinhala and Tamil: A case of contact-induced restructuring*. Newcastle: Newcastle University dissertation.

Velupillai, V. (2012) *An Introduction to Linguistic Typology*. Amsterdam/Philadelphia: John Benjamins.

国際交流基金 (2002) 『基礎日本語学習辞典［シンハラ語版］』Colombo: Vijithayapa Publications.

玉地瑞穂 (2005) 「日本語と中国語のモダリティの対照研究—言語類型論の観点から—」『高松大学紀要』44, pp. 17-54.

野口忠司 (1992) 『シンハラ語辞典』大学書林

ダパ語における広義の証拠性について
Broad-sense evidentiality in nDrapa

白井　聡子（東京外国語大学）
Satoko SHIRAI (Tokyo University of Foreign Studies)

要　旨

　本研究はダパ語（チベット＝ビルマ語派）の証拠性について広義の証拠性の観点から記述と分析を行う。まず、証拠性の先行研究における定義を整理した上で、ダパ語の証拠性表示を形態統語法上の位置づけと共に整理する。その結果、文末の不活用の付属語によって表示されるものと動詞述部に表示されるものに大きく分けられることを明らかにする。また、アスペクトや意図性によってエビデンシャルのねじれが生じる現象を指摘する。

キーワード：証拠性，自己性，ダパ語，文末助詞，人魚構文

1　はじめに

1.1　本研究の目的

　本研究の目的は、広義の証拠性の観点から、ダパ語の証拠性を分析することである。ダパ語は中国四川省西部で話されるチベット＝ビルマ語派の言語で、基本構成素順は SOV、膠着的で方向・アスペクト等の動詞接辞を用い、主格対格型の格表示体系を持つ。本研究で用いるデータは北部方言群のメト方言に関する筆者のフィールドワークにおいて収集したものである。

　ダパ語の証拠性については、Aikhenvald (2004) に代表される狭義の証拠性の定義を用いて記述した拙著 Shirai (2007b) がある。しかし、その分析には [i] 証拠性と証拠性以外の範疇が部分的に重なる機能を持っている、[ii] 視点表示によって整理された助動詞体系に不均衡がある、といった未解決の部分があった。具体例は次節に示す。

　一方で、近年、定延・マルチュコフ (2006) や Tournadre & LaPolla (2014) な

どが証拠性の定義をより広義に行っている。本研究では、この広義の証拠性の観点から、ダパ語の証拠性をより包括的に記述し、Shirai (2007b, 2008a/2006) で扱いきれなかった問題も含めて分析することを目的とする。なお、ダパ語の分析に当たっては、文末ないし述部における付属的表現（助動詞、接辞、文末付属語）によって表示されるもののみを対象とし、伝達動詞を用いるなどの分析的な表現は含まない。

1.2　先行研究とその問題点

　黄 (1990) はメト方言と同じ北部方言群に属するタト方言を対象とし、証拠性に関連する現象について人称とモダリティの両面から分析を行っている。人称に関して、「2 人称は、疑問法では 1 人称と同じに、陳述法では 3 人称と同じになる」と指摘されるが、これは、当時あまり知られていなかった conjunct/disjunct pattern (Hale 1980; DeLancey 1990, 1997) ないし自己性 (egophoricity, Tournadre 2008) の範疇における人称制限と合致する。また、モダリティについては、"測知語气"（推測あるいは間接的に知った）といった証拠性に通じる概念が a などの動詞接尾辞によって区別されるとする。

表 1：助動詞の体系（白井 2007a より；一部改訂）

	非完了類		完了類		
	未完了	反復	完了	経験	過去
視点あり (自己)	tʌ3	ndu3	wu2	nʌ2	fɥe3 / hce3
視点なし (客観事実)	tɛ3 //tʌ3-ɛ//	nduɛ3 //ndu3-ɛ//	wua2 //wu2-a//	na2 //nʌ2-a//	hcia3 //hce3-a//

　白井 (2008a/2006, 2007b) は上記のような人称制限とモダリティ的含意を持つ範疇について、視点表示であることを主張した。この視点表示とは、ほぼ自己性の概念と対応する。たとえば上記の "測知語气" に対応する接尾辞 -a については、主節述部で完了かつ視点なし（非自己／客観事実）を表示する形式と分析した。その上で、テンス・アスペクトと視点表示体系を中心と

して、ダパ語の助動詞体系を表1のように整理した。さらに、Shirai (2007a) では、狭義の証拠性の観点から、ダパ語の証拠性には direct/inferred/reported の三つがあるとし、上述の視点表示体系については証拠性とは似て非なる範疇 (evidential-like category) として扱った。ただし、前節で述べたように、以上の分析には [i] 視点表示が部分的に証拠性と重なる機能を持っている、[ii] 視点表示（自己性）によって整理された助動詞体系に不均衡がある、という問題が残る。

　このうち、[i] は、次のような現象である。狭義の証拠性の考え方では、(1) と (2) は同じく直接情報源に基づく文であり、両者の差異は別の範疇（自己性）に属する。それに対し (3), (4) はそれぞれ推量、伝達で、情報源が異なるものとされる。しかし、(1) と (2) を分ける範疇と (1)-(2), (3), (4) を分ける範疇には、話し手がどのように情報を扱うかという点で共通する面がある。

(1)　jenʌ3[1]　ŋoro1　htɛwu1　kʌ-tti-a1.　　　　　　＜直接情報源＞

　　　昨日　　3SG　　PLN　　INW-着く-FAC₁.PFV　　＜＜客観事実＞＞

　　　昨日彼はタウに着いた。（着いたのを見た）

(2)　jenʌ3　ŋoro1　htɛwu1　kʌ-tti1.　　　　　　　　　＜直接情報源＞

　　　昨日　　3SG　　PLN　　INW-着く　　　　　　　　＜＜自己＞＞

　　　昨日彼はタウに着いた。（自分も同じバスに乗っていた）

(3)　ŋoro1　co-rɛ=ntsha1　ntshɛɖo+hsei1　to-tɕho=pa1.　　＜推量＞

　　　3SG　　友-PL=ASS　　踊り+踊る　　　NTL-行く=IFR

　　　彼女は友達とダンスしに行ったのだろう。（嬉しそうに出かけていくのを見た）

(4)　ʈomba-rɛ3　tsɛ=ne2,　　me=ne3　　tʌ-ɕʌ-a1　　　　　　rɛ=tɛ3.　＜伝達＞

　　　村人-PL　言う=TOP　母=TOP　NTL-死ぬ-FAC₁.PFV　FAC₂=HS

　　　村人が言うには、母は死んだのだそうだ。[FT]

95

また、[ii] の問題点について、白井 (2008a/2006, 2007b) は、表１のとおり、過去の視点ありの助動詞に fɟe3 (行為者=発話者; 例 (5)) と hce3 (行為者=非発話者) の２つがある点については、分裂 (split) として説明した。ところが、この過去の助動詞 fɟe3 と同形の助動詞が (6) のような非過去かつ発話者が行為者ではない文に現れることがある。これについては、同音異義形態素と考えていたが、発話者との関わりを考えると、(6) は発話者自身の感覚を述べる文であり、(5) と (6) の助動詞が同形をしているのは偶然ではない可能性がある。

(5)　jenʌ3　　　ŋa4　　　　　mɛŋkho=rʌ3　ŋge3　a-mwi3　　　　fɟe3/*hce3.
　　　昨夜　　　1SG.FOC　　病院=GEN　　扉　　DWN-閉める　PST$_1$/PST$_2$
　　　昨夜は私が病院の戸を閉めた。

(6)　kofilu2　ma-fɟi-ɛ3.
　　　暑い　　NEG$_2$-AUX-FAC$_1$.IPFV
　　　暑くない。

1.3　理論的背景：狭義の証拠性と広義の証拠性

　ここで、証拠性の定義を整理しておく。狭義の証拠性は、Aikhenvald の一連の研究 (Aikhenvald 2003, 2004, 2014, 2018, Aikhenvald & LaPolla 2007) に代表される概念で、第一義的に情報源を表す文法範疇 (the grammatical means of expressing information source, Aikhenvald 2004: xi) と定義される。Aikhenvald (2004: 63–65) は、狭義の証拠性の対象を具体的に Visual, Sensory, Inference, Assumption, Hearsay, Quotative に限定している。

　それに対し、証拠性を幅広く捉えようとする立場からの研究として、Chafe & Nichols (1986)、定延・マルチュコフ (2006)、定延 (2006)、Tournadre & LaPolla (2014) などがある。このうち Tournadre & LaPolla (2014) によれば、広義の証拠性の定義は「情報をどこからどのように得たか (情報源 source と情報へのアクセス access) について、話し手の捉え方ややり方にそって表現されるもの (the representation of source and access to information according to the speaker's perspective and strategy. Tournadre & LaPolla 2014: 241；下線は筆者)」である。

「情報源 (source)」は、言葉による情報源、つまり、伝聞と引用を含む「伝達 (reported information)」にのみ関与する概念であると定義し直され、それ以外の証拠性（知覚であれ、推量であれ、言葉以外による情報入手）は、「情報へのアクセス (access)」の問題ということになる。その上で、「話し手がある事態を表現するに当たっての主体的な方法ないし観点」までも検討すべき対象としている。

表2：広義の証拠性

直接情報源	直接アクセス (direct access)	知覚 (sensory)	観察知覚 (non-endopathic, 五感による知覚)
			内的感覚 (endopathic/inner sensations, 痛み、怒りなど)
		自覚 (self-awareness)	自己 (egophoric; personal knowledge)
		客観事実 (factual)	
		記憶喚起 (memory activation)	
	間接アクセス (indirect access)	推量 (inference, 知覚に基づく推量、伝聞に基づく推量などのバリエーションがありうる)	
間接情報源	伝達 (reported, 報告者や話し手がどのようにアクセスしたかが同時に表示されることもありうる)		
折衷 (mediative, 間接情報源（伝達）と間接アクセス（推量）の両方に用いられる)			

Tournadre & LaPolla (2014) は広義の証拠性を網羅したリストを示してはいないが、例示される証拠性は概ね表2のように整理できる。また、同じ証拠性マーカーがさまざまな情報入手の表示に用いられる可能性を指摘しているが、同様のことは定延・マルチュコフ (2006: 158–162) によって「エビデンシャルのねじれ」として言及されている。エビデンシャルのねじれとは、エビデンシャルが動詞のテンスやアスペクト、動作性（動作動詞か変化動詞か）などに応じて意味を変えるという現象である。

以上は、機能面から見た証拠性の分類であるが、形態統語法における一貫

性にも注意が必要である。Oisel (2017) は、ラサ・チベット語の分析において証拠性が表示される位置に注目している。直接情報源に属しアクセスの差異を表示する要素が形態上すべて述部の一部（動詞接辞ないし助動詞）であるのに対し、間接情報源を表示する要素は文ないし節に付加される。このことを指摘した上で、Oisel (2017) は、前者に焦点を当てて議論を行っている。

2　ダパ語の証拠性を表す形式

　以下、Tournadre & LaPolla (2014) に例示される広義の証拠性の定義を参照しつつ、ダパ語の証拠性を表す形式について論じる。また、形態統語法上の位置に基づき、[i] 文末に置かれる不活用の付属語（文末助詞および人魚構文形式）、[ii] 動詞接尾辞、[iii] 助動詞に分けて述べる。

2.1　文末付属語

　ダパ語には多くの文末助詞があり、証拠性、法、モダリティなどを表す。文末助詞のうち証拠性に関わるものを表3に挙げる。これらのうち、mo 'CFM' および rɛ 'FAC₂' は、狭義の証拠性にも自己性（視点）表示にも含まれない範疇であるため、Shirai (2007a) では扱わなかったものである。また、この節では、文末助詞以外に、人魚構文 (Tsunoda 2020) すなわち文末に「名詞+コピュラ」が付加される形式も扱う。

表3：ダパ語の文末助詞（広義の証拠性に関わるもの）

文末助詞	tɛ	pa	rɛ	mo
機能	伝聞	推量	客観事実	確認
略号	HS	IFR	FAC_2	CFM

　なお、文末助詞のない文は、(7) のようにいずれも直接情報源、直接アクセスである。表2に示したように、直接情報源、直接アクセスには広義の証拠性の範疇がいくつか含まれ、それらはダパ語において文末助詞以外の方法で表示される（2.2節、2.3.2節）。

(7) mokku3　　　a-tɛ3　　　ʈ-ɛ3.

　　　雨　　　　　DWN-来る　IPFV-FAC₁.IPFV

　　　雨が降っている。

2.1.1 伝聞 (hearsay)

間接情報源、つまり、話し手が伝達者を経由して情報を得たことを明示する際には、伝聞を表す文末助詞の tɛ 'HS' が用いられる (Shirai 2007a)[2]。

(8) mokku3　　　a-tɛ3　　　ʈ-ɛ=tɛ3.

　　　雨　　　　　DWN-来る　IPFV-FAC₁.IPFV=**HS**

　　　雨が降っているそうだ。

2.1.2 推量 (inferential)

推量は、直接情報源、間接アクセスの一種である。一般的な推量には、文末助詞の pa 'IFR' が用いられる (Shirai 2007a)。漢語 "吧 /ba/" からの借用の可能性があるが、"吧" が持つ推量以外の用法（確認、勧誘）はない。(9) では現在、(10) では未来、(11) では過去の事態について、いずれも pa 'IFR' を用いた推量表現がなされている。

(9) mokku3　　　a-tɛ3　　　ʈʌ=pa3.

　　　雨　　　　　DWN-来る　IPFV=**IFR**

　　　雨が降っているかもしれない。

(10) mokku3　　　tshi-a2　　　pa3.

　　　雨　　　　　止む-PFV　　**IFR**

　　　雨は（そのうち）やむでしょう。

---

[2] 文末助詞 tɛ 'HS' は発言動詞と共に用いてその内容を導く用法もある。ダパ語の引用 (quotative) はこれを用いて (9) のように分析的に表される。本発表ではこれ以上の検討の対象とはしない。

　　　phumbu3　　　ŋʌ-ɕɯ-zi1　　　　　　　tɛ=tɛ4　　　tsɛ=rɛ2.

　　　身体　　　　　OUT-appear-prospect　COP₃=HS　say=FAC₂

　　「（儀式をすることによって、私の）姿が現れるでしょう」と言った。[FT]

(11)　ŋoro1　l̥asa1　ʌ-ji1　　　mθ-nʌ1　pa3.
　　　3SG　ラサ　　UPW-行く　NEG-EXP　**IFR**
　　　彼は（多分）ラサへ行ったことがないだろう。

　一般的な推量のほかに、文末に｛nkhei1　「様子」＋コピュラ｝を付加する
人魚構文のひとつによって、直接知覚したことを根拠に推量すること
(sensory inferential) を表す（Shirai 2020）。

(12)　ami3　　mokku3　　a-tɛ-a3　　　　　nkhei1　　rɛ3.
　　　夕方　　雨　　　　DWN-来る-PFV　**様子**　　**COP₄**
　　　夕方に雨が降りそうだ。

2.1.3 記憶喚起 (memory activation)

　文末助詞 mo 'CFM' を用いて、すでに記憶されている情報を喚起して述べ
ることを表す。直接情報源、直接アクセスに分類される証拠性の 1 つ「記憶
喚起」と考えられる。後出の (24) もこの例である。なお、特に (14), (15) の
ように聞き手が参与する文では、mo 'CFM' なしの断定が好まれない。この
場合、一種の待遇表現となっていると考えられる[3]。

(13)　no=wu3　　　ka-fɪ̣a=t̺t̺hu=tɛ1　　　　　　　tsɛ=fɪ̣e=mo2.
　　　2SG=ACDT　INW.PROH-泊まる=CAUS=HS　say=PST.1=**CFM**
　　　（私が）お前に「（怪しい老婆を）泊めるな」と言ったじゃないか。[FT]

(14)　no1　　zama3　ki-ttsɨ1　　　wu-a=mo2.
　　　2SG　　食事　　INW-食べる　PFV-FAC₁.PFV=**CFM**
　　　あなたはご飯を食べましたよね。

---

[3] 定延・マルチュコフ (2006: 175–176) にも、Makah 語や日本語で「相手について話
し手が実際走っていることでも、エビデンシャルなしの断言口調は避けられる。相
手に失礼にならないようにエビデンシャルが用いられることがある」と指摘されて
いる。例：「2 時から会議がおありのようですから、これで失礼します」（相手に 2 時
から会議があることを確信している場面で）

(15) no=la1   tɕuu2   taja3   ma-pw-ɛ3   mo3.
     2SG=LOC 今   金銭   NEG-ある-FAC$_1$.IPFV   **CFM**
     あなたは今、お金を持っていないでしょう。

2.1.4 客観事実 (factual)

　コピュラの一つである rɛ3[4] と同形の文末助詞がある。(16), (17) は昔話の
語りからの例であるが、聞き取り調査によれば、文末の rɛ 'FAC$_2$' がなくて
も文が成立し、命題上は同等の意味を表しうる（…tʌ-ɕʌ-a1. 「死んだ」；…
ʈe~ʈe1 sa3. 「遠いなあ！」）。(16) は、rɛ 'FAC$_2$' が付加される方が「昔のこと」
として述べられると判断される。(17) は、驚嘆の文末助詞 sa 'ADM' と共に
用いられており、rɛ 'FAC$_2$' が付加されることによって、驚くべき、あるいは
強調すべきこととして客観的に述べられている。(18) では、未来の非意図的
事態が完了の -a と rɛ 'FAC$_2$' の組み合わせで述べられている[5]。未来の事態
には (10) のように -a + pa 'IFR' が用いられることが多いが、(18) のように
rɛ 'FAC$_2$' を用いることで推量ではなくより客観的な態度であることが表出
されている可能性がある。以上のことから、文末に rɛ 'FAC$_2$' が付加される
と、より客観的、確定的に述べられると考えられる。以上のことから、文末
助詞 rɛ の機能は直接情報源、直接アクセスの一種である客観事実の証拠性
と考えられる。

(16) ami3   me3   tʌ-ɕʌ-a1   rɛ3.
     夕方   母   NTL-die-FAC$_1$.PFV   **FAC$_2$**
     夕方に、母親は死んだ。[FT]

(17) jɛʈo=nʌ3 mɛʈo=nɛ3 ʈe~ʈe1   sa=rɛ3.
     PLN=COM PLN=二   遠い~NMLZ   ADM=**FAC$_2$**
     イェト（村）とメト（村）は、遠いんだよ。[FT]

---

[4] 自己性と関係なく汎用的に用いられるコピュラで、チベット語からの借用と考えら
れる。現代チベット語においては、対応する *red* が客観事実を表示する。
[5] 黄 (1990: 79) はこれに対応するダト方言の形式 -a^{33}zɛ^{33} を、無意志動詞の未来時制
を表す形式としている。

(18)　ŋa1　　　　to-m̊o1　　　fɨje-a2　　　　　　　rɛ3.
　　　1SG　　　　NTL-忘れる　ENDO-FAC₁.PFV　　FAC₂
　　　私は忘れてしまうだろう。

2.1.5 複合タイプ

　ここまで見てきた文末付属語が複数組み合わされる例が見られる。現時点では網羅的に調査するに至っていないが、見つかっている範囲から、組み合わせの順序には制限があると考えられる。以下に例を挙げる。

　tɛ 'HS' + pa 'IFR' の組み合わせで、伝聞に基づく推量 (report-based inferential) を表す。

(19) somuɲi3　　tshomba3　　tsheri=wu1　　taja-ngo3
　　　明日　　　　店主　　　　PSN=ACDT　　金銭-DIM

　　　khe=ʈ-ɛ3　　　　　　　　　tɛ=pa3.
　　　与える=IPFV-FAC₁.IPFV　　**HS=IFR**
　　　明日、社長がツェリにお金を少しやる、という話だったかも。

　人魚構文を校正する名詞 nkhei 「様子」の後にコピュラではなく pa 'IFR' が続くという組み合わせが稀に見られる。2.1.3 で見たのと同様に知覚に基づく推量 (sensory inferential) を表すが、より確信度が低いと考えられる。

(20) ŋoro3　lei3　　ki-ttsi-a1　　　　nkhei1　　pa3.
　　　3SG　包子　　INW-食べる-PFV　**様子**　　　**IFR**
　　　彼は包子を食べたっぽいかも。

　tɛ 'HS' + mo 'CFM' の組み合わせで、話し手にとっての情報源が伝聞であり、かつ、聞き手の記憶喚起であることを示す。聞き手が参与する未実現の内容を述べる際はこの形式が好まれる。

(21) somuɲi3   no1 no=rʌ3   pʌfɥʌ=wu3   ji=ʈi3

明日   2SG 2SG=GEN   子供=ACDT   手伝う=IPFV

tɛ=mo3.

HS=CFM

明日、あなたは子供を手伝うそうですね。（聞き手自身から聞いた）

2.2　動詞接尾辞による自己性表示

　ダパ語では、動詞に付加されるアスペクト接尾辞の有無によって、自己性、すなわち、発話者に直接関わること（自己）か、それとも客観的事実（非自己）として述べられることかの区別が表示される（表 4）。(22a~d) はそれぞれに対応する例である。なお、当節の例 (22a, b, 24, 25) ではアスペクト接尾辞が無いことによって自己形式であることが表される文の語釈に「：自己」と表記するが、これ以外の例では一貫して表記を省略している。

表 4 ：自己性を表示する形式

	Imperfective	Perfective
Egophoric（自己）	∅	∅
Factual（非自己/客観事実）	-ɛ 'FAC$_1$.IPFV'	-a 'FAC$_1$.PFV'

(22)　a. ndu3　　　　　　　　　　b. a-mpho3

　　　できる：自己　　　　　　　DWN-負ける：自己

　　　（私は）できる　　　　　　（私たちが）負けた

　　c. ndɯ-ɛ3　　　　　　　　　d. a-mpho-a3

　　　できる-FAC$_1$.IPFV　　　　DWN-負ける-FAC$_1$.PFV

　　　（彼は）できる　　　　　　（彼らが）負けた

　一般的な自己性と同様に、人称制限とその分裂が見られる。発話内容に関する責任の中心となる人物（便宜上、「発話者」と呼ぶ）が意図的に直接関わる場合、典型的に自己の形式が用いられる。発話者は、直接情報源による陳

述文では話し手、疑問文では聞き手、間接情報源（伝聞・引用節内）では伝達者 (reporter) である。たとえば、前節の (21) では、伝達者である聞き手が行為者と一致するため、客観事実の接辞 ('FAC₁') が付加されない。つまり、自己の形式になっている。これに対して、次の (23) では、客観事実の接辞が未完了の助動詞に付加されている。これは、伝達者が行為者（ここでは聞き手）と一致しないことを表している。

(23) no1　　ŋa=wu2　　　　　taja-ngo3　　khe=ʈ-ɛ3
　　 2SG　 1SG.EMPH=ACDT　金銭-DIM　　 与える=IPFV-FAC₁.IPFV
　　 tɛ=mo3.
　　 HS=CFM
　　（今度）あなたが私にお金を少しくれるそうですね。（第三者から聞いた）

　先に 2.1.5 節で見たように、客観事実の文末助詞 rɛ 'FAC₂' (2.1.5) とここで見ている客観事実の接辞 -a/-ɛ 'FAC₁' は 1 つの述部に同時に付加されることが可能で、類義の別形態素と見なされる。しかし、語彙的にいずれかを選択する例も少数ながら見られる。ダパ語には複数の存在動詞語幹があるが、いずれも話し手が参与する存在文では接尾辞のない自己形式をとる。一方、話し手の参与が無い客観事実の述部では、(24) のように接尾辞 -ɛ が付加された形式をとる。ところが、無情物が見える状態で存在することを表す tɕa3 だけは、(25) のように、rɛ 'FAC₂' によって客観事実が表示される。tɕa3 に -ɛ が付加される形式は見つかっていない (Shirai 2006, 2008b)。

(24) da=wu3　　　　　nkhaji3　　　ŋɵ=hpa1　　tɕu-ɛ3.
　　 屋根=ACDT　　　カラス　　　五=CLF　　　いる-FAC₁.IPFV
　　 屋根にカラスが 5 羽いる。

(25) kokho3　　　　　ntɕholo3　　　ʈho=i2　　　tɕa=rɛ3.
　　 ここ　　　　　　碗　　　　　　六=CLF　　　ある₃=FAC₂
　　 ここにお碗が 6 つある。

2.3 エビデンシャルのねじれ

定延・マルチュコフ (2006: 158-162) の言う「エビデンシャルのねじれ」として理解されうる現象を 2 つ挙げる。自己性に見られる人称制限がアスペクトによって異なる例と、自己の助動詞が内的感覚に用いられる例である。

2.3.1 自己性の人称制限とアスペクト

自己性には人称制限があるが、その制限の度合いが未完了の文では強く、完了の文では弱く現れるという現象が見られる。以下に例を挙げる。(26), (27)は、いずれも、第三者が行為者、話し手が受け手となる文である。未完了相で未来の事態を表す (26) では、接尾辞 -ε を付加した客観事実の形式が強く好まれ、これが付加されない自己形式はほぼ容認されない[6]。これに対して、完了相で過去の事態を表す (27) では、アスペクト接尾辞なし、つまり、自己の形式が強く好まれ、客観事実の形式は容認されない。

(26)　somuŋi3　tshomba1　ŋa=wu3　　taja-ngo3
　　　明日　　　店主　　　1SG=ACDT　金銭-DIM

　　　khe=ʈ-ε3/*khe=ʈʌ3　　　　　　　　　　　　　　　mo3.
　　　与える=IPFV-FAC$_1$.IPFV/与える=IPFV：自己　　CFM
　　　明日、社長が私にお金を少しくれるよね。

(27)　ʈaɕi3　　antha1　　ŋa=nεŋi4　a-ɕjε3　　　*wu-a2/wu2.
　　　PSN　　さっき　　1SG=に　　DWN-話す　PFV-FAC$_1$.PFV/PFV：自己
　　　タシはさっき私に話してくれた。

---

[6] ただし、未完了でも人称表示ではなくあくまでも人称制限であり、話し手の視点を表す形式である。このことは以下のような例から確認可能である。
(a)　ami3　　ŋa=rʌ3　　zʌntɕhi3　lε3　　　mθ=ʈ-ε2.
　　　夕方　　1SG=GEN　娘　　　　包子　　作る=IPFV-FAC$_1$.PFV
　　　今晩、私の娘が包子を作る。(他者の予定として)
(b)　ami3　　ŋa=rʌ3　　zʌntɕhi3　lε3　　　mθ=ʈʌ2.
　　　夕方　　1SG=GEN　娘　　　　包子　　作る=IPFV
　　　今晩、私の娘が包子を作る。(話し手が決めたこと／家族の予定)

このことから、結果的に、完了相の客観事実を表示する -a の方が狭義の
証拠性に接近した機能を持つ事になる。1.1 節 (1), (2) は完了相の例であった。
また、1.2 節で言及した黄 (1990) の分析でも、-a の一部がモダリティ標識と
して扱われている。

2.3.2 助動詞による内的知覚の表示

最後に、1.2 節 (5), (6) に示した問題点について、「エビデンシャルのねじ
れ」と、広義の証拠性の一つに挙げられる内的知覚 (endopathic, Tournadre
1996: 226) によって説明されうることを示しておく。

fɟe/fɟi- は、過去の意図的な行為を述べる場合は、(5), (28) のように、発話
者による行為に用いられる[7]。

(28) no2   mɛŋkho=rʌ3   ŋge3   a-mwi3   fɟi-ɛ=me1.
     2SG.EMPH 病院=GEN   扉   DWN-閉める PST₁-EPT?=Q
     あなたが病院の扉を閉めましたか？

一方、非意図的事態を述べる文では、発話者の内的知覚を表す際に用いら
れる。前出の (6) は、知人宅を訪問した際に、その場が暑いかどうかを尋ね
られた場面で用いられる形で、自分自身が暑いと感じないことを述べている。
なお、内的知覚の類例は今のところ「暑い」「寒い」および (29) の「かゆい」
といった感覚と、2.1.5 (19) のような「忘れる」の例にしか見られない。

(29) no1   ʈhʌ3   ndzɛ~ndzɛ3   mi-fɟi-ɛ=me1.
     2SG   脚   かゆい~NMLZ   NEG₁-ENDO-EPT?=Q
     脚がかゆくありませんか？

以上のことから、fɟe/fɟi- は発話者が相対的に強く関与する（非発話者との

---

[7] (28), (29) に見られるように、疑問文で fɟi 'PST1/ENDO' と疑問文末助詞の間に母
音 ɛ が観察されるのだが、これが客観事実の標識なのか、音韻的な挿入母音なの
か、あるいはそれ以外のものなのかは、現時点では未解決である。

知識差が大きい）ことを表す助動詞で、意図性の有無によってねじれを生じると結論づけられる。

3　まとめ

　狭義の証拠性と広義の証拠性に関する理論的背景を概観した上で、ダパ語の証拠性を表す形式について後者に基づいて分析を行った。ダパ語の証拠性は文末の付属的表現によって表される。その表示方法と機能の関係は、表5のようにまとめられる。

表5　ダパ語における証拠性の表示方法

広義の証拠性の分類（表3）				ダパ語での表示方法
直接情報源	直接アクセス	知覚	観察知覚	×
			内的感覚	助動詞
		自覚	自己	動詞接尾辞
		客観事実		
		記憶喚起		文末付属語
	間接アクセス	推量		
間接情報源	伝達			
折衷				×

　文末に付加される不活用の付属語、つまり文末助詞ないし文末名詞（人魚構文）によって表示されるものが最も多く、狭義の証拠性（伝達・推量）だけでなく、記憶喚起もこれによって表される。ダパ語においてはこれらが1つのカテゴリーをなしていると見ることができるだろう（証拠性1）。一方、自己と内的知覚は動詞述部に表示されることから、ダパ語においては証拠性1とは異なるカテゴリーとして分けて考えるのが妥当である（証拠性2）。さらに、客観事実は動詞接尾辞と文末付属語の両方で表示されうる。以上のことは、伝達のみが別カテゴリーと見なされうるチベット語の証拠性体系とは大きく異なっており、個々の言語における証拠性の分類に形態統語法的観点

からの整理が必要であることを示唆している。

【参考文献】

Aikhenvald, Alexandra Y. 2003. Evidentiality in typological perspective. In A. Y. Aikhenvald and R. M. W. Dixon (eds.) *Studies in Evidentiality,* pp. 1–31. Amsterdam/Philadelphia: John Benjamins Publishing Company.

Aikhenvald, Alexandra Y. 2004. *Evidentiality.* New York: Oxford University Press.

Aikhenvald, Alexandra Y. 2014. The grammar of knowledge: a cross-linguistic view of evidentials, and the expression of information source. In A. Y. Aikhenvald and R. M. W. Dixon (eds.) *The grammar of knowledge*, pp. 1–51. Oxford: Oxford University Press.

Aikhenvald, Alexandra Y. 2018. Evidentiality: The framework. In A. Y. Aikhenvald (ed.) *The Oxford Handbook of Evidentiality*, pp. 1–43. New York: Oxford University Press.

Aikhenvald, Alexandra Y. and Randy J. LaPolla. 2007. New perspectives on evidentials: a view from Tibeto-Burman. *Linguistics of the Tibeto-Burman Area* 30(2): 1–16.

Chafe, Wallace L. and Johanna Nichols (eds.) 1986. *Evidentiality: The Linguistic Coding of Epistemology.* Norwood, NJ: Ablex.

DeLancey, Scott. 1990. Ergativity and the cognitive model of event structure in Lhasa Tibetan. *Cognitive Linguistics* 1(3): 289–321.

DeLancey, Scott. 1997. Mirativity: the grammatical marking of unexpected information. *Linguistic Typology* 1: 33–52.

Hale, Austin 1980. Person markers: Finite conjunct and disjunct verb forms in Newari. In Ronald L. Trail et al. (eds.) *Papers in South-East Asian Linguistics No. 7*, pp. 95–106. Canberra: The Australian National University. (Pacific Linguistics, Series A - No. 53)

Huang, Bufan [黃布凡] 1990. 扎壩語概況. 《中央民族大學學報》1990 年第 4 期：71–82.

Oisel, Guillaume 2017. Re-evaluation of the evidential system of Lhasa Tibetan and its atypical functions. *Himalayan Linguistics* 16(2): 90–128.

Sadanobu, Toshiyuki [定延利之] 2006. 「心的情報の帰属と管理—現代日本語共通語「ている」のエビデンシャルな性質について」中川正之・定延利之（編）『言語に表れる「世間」と「世界」』pp. 167‑192. 東京：くろしお出版. シリーズ言語対照 2.

Sadanobu, Toshiyuki and Andrej Malchukov [定延利之・アンドレイ マルチュコフ] 2006. 「エビデンシャリティと現代日本語の「ている」構文」中川正之・定延利之（編）『言語に表れる「世間」と「世界」』pp. 153–166. 東京：くろしお出版. シリーズ言語対照 2.

Shirai, Satoko. 2006. Analysis of multiple existential sentences in nDrapa. 「ユーラシア諸言語の研究」刊行会（編）『庄垣内正弘先生退任記念論集　ユーラシア諸言語の研究』 pp. 145–173, 京都：「ユーラシア諸言語の研究」刊行会.

Shirai, Satoko [白井聡子] 2007a. 「ダパ語における「視点」を示す二系列の助

動詞」『京都大學文學部研究紀要』46: 267-341.

Shirai, Satoko. 2007b. Evidentials and evidential-like categories in nDrapa. *Linguistics of the Tibeto-Burman Area* 30(2): 125–150.

Shirai, Satoko [白井聡子] 2008a/2006. 『ダパ語における視点表示システムの研究』Book Park. （京都大学大学院文学研究科博士論文ライブラリー）

Shirai, Satoko. 2008b. Effects of animacy on existential sentences in nDrapa. 『言語研究』134: 1–22.

Shirai, Satoko. 2020. nDrapa. In Tasaku Tsunoda (ed.). *Mermaid Construction: A Compound-Predicate Construction with Biclausal Appearance,* pp. 465–510. Berlin & Boston: De Gruyter Mouton. (Handbooks of Comparative Linguistics)

Tournadre, Nicolas. 1996. *L'ergativité en tibétain moderne: approche morphosyntaxique de la langue parlée.* Paris/Leuven: Peeters. (Bibliothèque de l'information grammaticale 35)

Tournadre, Nicolas 2008. Arguments against the concept of 'conjunct/disjunct' in Tibetan. In Brigitte Huber, Marianne Volkart and Paul Widmer (eds.) *Chomolangma, Demawend und Kasbeck, Festschrift für Roland Bielmeier*, pp. 281–308. Halle: VGH Wissenschaftsverlag GmbH.

Tournadre, Nicolas and Randy J. LaPolla. 2014. Towards a new approach to evidentiality. *Linguistics of the Tibeto-Burman Area* 37(2): 240–262.

Tsunoda, Tasaku. 2020. Mermaid construction: An introduction and summary. In Tasaku Tsunoda (ed.). *Mermaid Construction: A Compound-Predicate Construction with Biclausal Appearance,* pp. 1–62. Berlin & Boston: De Gruyter Mouton. (Handbooks of Comparative Linguistics)

チノ語悠楽方言の「証拠性」戦略における諸問題 [1]

Issues in 'Evidentiality' Strategies in Youle Jino

林　範彦（神戸市外国語大学）

Norihiko HAYASHI (Kobe City University of Foreign Studies)

要　旨

本稿は中国雲南省で話されるチベット・ビルマ諸語の 1 つであるチノ語悠楽方言の証拠性に関わる諸現象をどのような形式あるいは構造によって表現するのかについて記述を試みた。Aikhenvald (2004)の証拠性による意味変数を用いれば、チノ語悠楽方言においては Direct, Inference, Reported の 3 種類が統合的な手法により表示を行う狭義の証拠性の体系をなすと言える。ただ、分析的な手法をも含めて検討すれば、Assumption, Quotative を含めることができ、Aikhenvald (2004)の類型論において C_3 タイプの亜種として認定することが適当であろうと結論づける。

キーワード: チノ語、チベット・ビルマ諸語、証拠性、egophoricity

1　はじめに

1.1　チノ語について

　チノ語(基诺语)は中国雲南省景洪市で話されるチベット・ビルマ語派ロロ・ビルマ語支ロロ語群の言語である。大きく悠楽方言と補遠方言に分かれる。本稿では悠楽方言のデータを用いる[2]。チノ語を話すチノ族(基诺族)の総人口は 23000 人(2010 年人口

---

[1] 本稿は大阪府立大学 I-site なんばにて 2019 年 8 月 3 日に開催された「チノ語および周辺言語における "evidential strategies"の諸問題」で発表した内容に基づいている。会場にて有益なコメントをくださった江畑冬生氏・角道正佳氏・千田俊太郎氏・野島本泰氏・堀江薫氏(50 音順)をはじめ、研究会の皆様に感謝を申し上げる。当然ながら、本稿におけるいかなる誤謬も筆者個人の責めに帰する。
[2] 本稿で用いるチノ語のデータは引用を明示したものを除いて、主として筆者が 2008 年から 2018 年までに現地調査にて得た資料を元にしている。調査に協力くださった W 氏(1980 年生、女性)・Y 氏(1950 年ごろ生、女性)に心から感謝申し上げる。なお、現地調査では中国雲南民族

統計)を超えるが、その流暢な話者は半数以下に減少していると推定される。

　チノ語悠楽方言の類型論的な特徴を林(2009)から整理しておく。基本語順はSOVであり、主格・対格型の言語である。形容詞は主名詞に後続するが、関係節は主名詞に先行することが多い。形態論的には膠着性が高い。特に、動詞は接頭辞類・接尾辞類が多数付加されうる。動詞複合形式については2.1を見られたい。

1.2　チノ語の先行研究

　チノ語の記述研究としては主として盖(1986), 林(2009), 蒋(2010)がある。いずれも下位方言の差異はあるものの、悠楽方言の変種である。ただ、証拠性に関する議論はいずれも十分であったとは言い難い。

　盖(1986, 1987)は、モダリティーが声調や母音の交替と関与していることを指摘している。しかし、証拠性の観点からの分析はまだ行われていない。林(2009)は証拠性に関する若干の言及は行なっているものの、詳細な分析は不足している。蒋(2010)は「モダリティーを表す副詞」(「語気副詞」) として分析しているが、やはり詳細な分析は不十分である。

1.3　本稿の目的

　本稿では筆者の現地調査による一次資料に基づいて、チノ語悠楽方言の「証拠性」標示について記述を試みる。後述する Aikhenvald (2004)の証拠性の類型論的枠組みを用いることにより、本言語の「証拠性」戦略の位置づけを行いたい。またチベット・ビルマ諸語研究における証拠性の議論の若干の紹介を行なって、本研究の今後の展望を整理しておく。

　なお、証拠性は、述部にみられる問題だけなく、指示詞など述部に直接関わらない問題においてもその存在が議論されることがある (Jacques 2018)。しかし、本稿では述部に見られる問題のみを取り扱うこととする。

博物館の高立青館長・谢末华元館長・高翔氏をはじめとして、現地機関の協力をいただいた。また本研究は日本学術振興会科学研究費補助金・補助事業(JP20720111, 23720209, 26370492, 16H02722, 17H02335)の支援も頂いている。ここに記して上記機関に深謝したい。

1.4 Aikhenvald (2004, 2014)

1.3 で述べた目的を達成するために、本稿では証拠性についての言語類型論的な研究として名高い Aikhenvald (2004, 2014)において出された分析の要点を確認しておきたい。

Aikhenvald (2004)では、証拠性の意味変数として表1のように整理している。

表1 証拠性体系における意味変数 (Aikhenvald 2014: 9 より改訂)

I.	VISUAL covers evidence acquired through seeing.
II.	SENSORY covers evidence acquired through hearing, and is typically extended to smell and taste, and sometimes also touch.
III.	INFERENCE is based on visible or tangible evidence or result.
IV.	ASSUMPTION is based on evidence other than visible results: this may include logical reasoning, assumption, or simply general knowledge.
V.	REPORTED, for reported information with no reference to who it was reported by.
VI.	QUOTATIVE, for reported information with an overt reference to the quoted source.

表1を見ると、Aikhenvald (2014)で捉える証拠性体系は6種類の意味変数で記述される。ただ、よく見れば、これは大きく3つのグループにまとめられる。

IのVISUALとIIのSENSORYは五感による事態の認識に関与する。前者は視覚からの認識、後者は聴覚からの認識をベースに嗅覚・味覚、さらには触覚からの認識に関わる、とする。IIIのINFERENCEとIVのASSUMPTIONは推論に関わる問題に関与する。前者は視認可能あるいは触知可能な証拠や結果から推定されることに関与する。これに対し、後者は視認可能な結果以外の証拠から推定されることに関与し、論理的な理由付けや推論、あるいは単純に一般的な知識を含みうる、とする。VのREPORTEDとVIのQUOTATIVEは他者からの伝達情報に関与する。前者は伝達者の特定を行わないタイプであるが、後者は特定を行うタイプである、とする。

表2はこの意味変数を用いた証拠性体系の類型を示した形である(Aikhenvald 2004)。

表2: 証拠性体系における意味変数と類型 (Aikhenvald 2004: 65 より改訂)

		I. VISUAL	II. SENSORY	III. INFERENCE	IV. ASSUMPTION	V. HEARSAY	VI. QUOTATIVE
2 choices	A₁	firsthand		non-firsthand			
	A₂	firsthand	non-firsthand				
	A₃	firsthand		non-firsthand		different system or <no term>	
	A₄	<no term>	non-visual	<no term>		reported	
3 choices	B₁	direct		inferred		reported	
	B₂	visual	non-visual	inferred		<no term>	
	B₃	visual	non-visual	inferred			
	B₄	visual	non-visual	<no term>		reported	
	B₅	<no term>	non-visual	inferred		reported	
4 choices	C₁	visual	non-visual	inferred		reported	
	C₂	direct		inferred	assumed	reported	
	C₃	direct		inferred		reported	quotative
5 choices	D₁	visual	non-visual	inferred	assumed	reported	

　各言語の証拠性の体系において、どのような意味変数を同一形式で対応させているのかを整理した結果、例えば A₁ のタイプにおいては直接五感で認識したもの(firsthand)とそうではないもの(non-firsthand)に分類する。A₂ は A₁ と類似するが、直接認識したものを視覚だけにとどめる点が異なる。表2の分類システムは証拠性体系の言語間の対比に有用であると考えられよう。

　Aikhenvald (2014)ではこの他に証拠性にまつわる誤解についても整理している。

表3: 証拠性にまつわる誤解 (Aikhenvald 2014: 44—45)

1. Evidential marking provides justification for a statement: WRONG
2. An evidential reflects attitudes to evidence: WRONG
3. Evidentiality is a type of modality, mood, or aspect: WRONG
4. Evidentiality is universal, because every language has a way of expressing how one knows things: WRONG
5. If a language has verbs meaning 'see,' 'hear,' and 'smell,' it has evidentiality: WRONG
6. If a language has a way of saying 'probably,' it has evidentiality: WRONG
7. Evidentiality is a gradient category: WRONG
8. Evidentiality is the same as evidence: WRONG
   : just as grammatical gender is not the same as biological sex.
9. Speakers of languages with evidentials have to always tell the truth: WRONG
10. Languages with evidentials divide into those where evidentials have epistemic extensions and those where they do not: WRONG

言語研究で陥りがちな落とし穴として、語彙的な要素も含めて文法範疇の存在を認めてしまうことがある。Aikhenvald (2014)は表 3 を示すことにより、そのような罠にはまらないよう警告していると言ってよい。言語学において証拠性にいち早く言及したとされる Boas (1938)以来の考え方として、証拠性は「情報の典拠を第一義に捉える」文法範疇とみなすべきであると述べ、さらに「「語彙的な証拠性」について語ることは(分析の)役に立たない ("Talking about 'lexical evidentiality' is unhelpful.")」 (Aikhenvald 2014: 44)とまで述べている。

本稿では Aikhenvald (2004, 2014)で示された枠組みに従って証拠性の記述を進める。しかし、後述するように、厳密に認定された文法範疇のみの記述を進めるのではなく、分析的な構造をとるものも一種の「証拠性」をしめす「戦略」的手法であると考え、並行して記述していくこととする。

2 チノ語悠楽方言の「証拠性」戦略

それでは、チノ語悠楽方言ではどのような「証拠性」戦略が取られるのだろうか。表しうる範疇ごとに、具体的なデータの提示とその記述を試みたい。

2.1 チノ語悠楽方言の動詞複合形式

チノ語悠楽方言の動詞複合形式の概念図を表 4 に示す。

表4: チノ語悠楽方言の動詞複合形式の全体概念図

接頭辞類–	[動詞語根]	–接尾辞類	–文末助詞 (SFP)

表 4 は林(2009)で記述したものを再整理したものである。チノ語悠楽方言の動詞複合形式は表4に見るように中心に[動詞語根]を置き、その周辺に接頭辞類ないし接尾辞類が連鎖的に結合する構造をとる。そして、その全体が文末に置かれるときは末尾が文末助詞(Sentence Final Particle, SFP)と結合する。ここで特に重要なのは接尾辞類で、それを表5に展開する。

表5: 接尾辞類の展開図

-(acp)	-(B/R)	-(T/A$_1$)	-(T/A$_2$)	-(caus)	-(aux$_1$)	-(aux$_2$)	-(T/A$_3$)	-(still)	-(T/A$_4$)
-khjo (達成)	-mə (受益)	-kɔ (進行)	-tɔ (経験)	-vi (使役)	-khju (可能)	-ŋu (願望)	-mɤ (過去)	-suu (依然)	-a (完了)
	-ʃi (相互)				-tchɛ (敢然)	-m̥ɤ (推定)	-me (未来)		

表5は表4の接尾辞類だけを展開したものである。チノ語悠楽方言は理論的には非常に多くの接尾辞類が接合するが、実例では全ての接尾辞類が共起することはない。今、表5のうち網掛けを施した-m̥ɤは2.4で後述するように明示的な形式として「推定」を表す。実は動詞複合形式に生起する証拠性標識はこれだけである。もう一つ明示的な形態素としてあげられる-je[42]は文末助詞の一種である。この後に述べる証拠性の意味変数とそれに対応する形式を整理すると、表6のようになる。

表6: チノ語悠楽方言の証拠性戦略のシステムの概要

意味変数	形式	ステイタス	本稿での記述
Direct	(無標)	------	2.2
Inference	-m̥ɤ	統合的	2.3
Assumption	ŋuɯ^{33}=ɛ^{44}	分析的	2.4
	tʃhɤ^{33}(-a^{44})	分析的	
Reported	-je^{42}	統合的	2.5
Quotative	=ɛ^{44} m̥^{33}-SFP	分析的	2.6

　文法範疇の存在の是非を問う際に問題になるのは、当該の現象を表現するのに語彙的な要素を用いないことである。その意味では表6で「統合的」とした Inference と Assumption, そして無標である Direct のみが厳密には本言語の証拠性標識と言えるのかもしれない。ただ、意味機能の対比が行えるメリットを考慮すると、分析的構造であるからと言って排除するのは得策ではないと考える。本稿では分析的な構造も記述の対象に含めることとする。

　2.2からは、本言語における具体的な証拠性を示すデータを記述する。

116

2.2 Direct

チノ語悠楽方言では、他の多くの言語と同じように、1 次情報は無標で現れる。以下の例を見られたい。

(1) ŋɔ³³=la⁵⁵　　　　　　　a⁵⁵pjə⁴⁴　sa⁵⁵-mjə⁴²　　　thø⁴⁴-mjə⁴²
　　　1SG.OBL=すなわち　　豆　　蒸す-SBRD　　　搗く-SBRD
　　　tsɔ⁴⁴-mɛ³⁵.　　ʃɔ⁵⁵-mrɛ³⁵-a⁴⁴.
　　　食べる-PST　　大変-美味しい-SFP
　　　「私は豆を蒸して、搗いてから食べた。とても美味しかった。」

(2) khɤ³⁵　　　　　　　ku⁵⁵-tɕø⁴⁴+ta³³+lɔ⁵⁵-nœ⁴⁴.
　　　3SG.OBL　　　　　再び-跳ぶ+上る+来る-SFP
　　　「それ(猫)は、また(台の上に)とび上がってきた。」

(3) çi³⁵=ɛ⁵⁵-ɱa⁵⁵=ɻ⁴⁴　　　va⁵⁵　　a³³phru⁵⁵　ŋuɻ³³-xɔ⁴²,
　　　ここ=POSS-PL-EMPH　　豚　　白い　　　COP-SBRD
　　　tɕɛ⁴²-mɔ⁵⁵-tsɔ⁵⁵-ɳu⁵⁵-a⁴⁴.
　　　とても-NEG-食べる-AUX-SFP
　　　「ここの人たちは白豚(の肉)だったら、あまり食べたがらない。」

(4) çi³⁵　　koŋ³³ʃɤ³⁵=ɛ⁵⁵　　tʃɤ⁴⁴-thə⁵⁵　khɔ⁵⁵phɔ⁵⁵　　thi⁵⁵-çɔ⁴⁴
　　　ここ　公社=POSS　　より-多い　男　　　　　1-CLF
　　　khɔ⁵⁵mɔ⁴⁴　　thi⁵⁵-çɔ⁴⁴.
　　　女　　　　　1-CLF
　　　「ここ公社(チノ郷中心部)で(きょうだい関係で今)より多いのは男 1 人、女
　　　1 人(の組み合わせ)だ。」

　(1)では自分の行為、(2)では実際に見た猫の動きを表している。これは発話者が直接五感を用いて確認した行為である。また、(3)と(4)では周囲の人々の食習慣や家族関係がそれぞれ述べられている。これらは全て発話者が直接的に知る情報である。(1)-(3)は下線部の末尾にテンスや文末助詞が付加されているが、(4)も含めて証拠性に関わる標識は何ら生起していない。

　対照的に以下の(5)の例を見てみよう。

117

(5) ŋi⁵⁵ vɛ⁵⁵-ɔ⁴⁴,   khɔ⁵⁵phɔ⁵⁵   thi⁵⁵-çɔ⁴⁴   khɔ⁵⁵mɔ⁴⁴   thi⁵⁵-çɔ⁴⁴
    2PL.OBL-PART   男   1-CLF   女   1-CLF
    ŋɯ⁴⁴-jɔ⁴⁴   ŋɯ⁴⁴-mɛ³⁵.
    COP-OBLIG   COP-NML
    「あなたたちはきっと(きょうだい関係として)男の子が 1 人、女の子が 1 人
    なんでしょうね。」

　(5)の例は(4)の例と連続的に出てきたものであり、筆者の住む日本の家族内での子
供の構成についての推測を発話者が行った例である。(4)とは異なり、non-egophoric
(非自己的)な内容を含む。(5)ではコピュラである ŋɯ⁵⁵ (本例では 44 調に変調してい
る)が用いられており、厳密には証拠性のシステムに位置づけられるものではない。し
かし、明らかに無標ではなく、推測の内容を形式上も示している点で、(4)との相違点
が明確である。

2.3　Inference

　動詞複合形式内に生起する形式で推定に近いものは-m̥ʐ で標示される。以下の例
を見られたい。-m̥ʐ は直接的に何らかの証拠を握った上か、状況証拠から推定を行う
場合に用いられる (林 2009: 84)。これは一般に視認からの推定に相当する。

(6)　ji³³me⁵⁵   ʃi³³me⁵⁵   pi³³sai⁵⁵-mɛ⁵⁵
    昨夜   一昨日の夜   ゲームをする-NML
    faŋ³⁵-khjo³⁵-**m̥ʐ³³**-a⁴⁴.
    放送する-ACP-INFER-SFP
    「このところの夜に (やっていたスポーツの) 試合は放送を終了したみた
    いね。」

(7)　çi³³   khuɯ³³ŋi⁵⁵   ʃi³³+ja⁵⁵-mɛ⁵⁵-**m̥ʐ³³**-a⁴⁴.
    これ   犬   死ぬ+しまう-INFER-SFP
    「この犬は死んでしまうみたいだ。」(林 2009: 84)

(8) mi³³tha⁵⁵   xo⁴²-**m̥ʐ³³**-nœ⁴⁴.

雨　　　　降る-INFER-SFP

「雨が降るようだ。」(林 2009: 84)

(9) tshə³³zɔ⁵⁵   m³³-tɕi⁵⁵-se⁵⁵-**m̥ʐ³³**-nœ⁴⁴.

人　　　　　CAUS-焦る-死ぬほど-INFER-SFP

「歯痒いったらない。」[=(直訳) 人を死ぬほど焦らすようだ。]

(林 2009: 84)

　(6)の例は筆者が発話者とともにテレビを見ていた時に、発話者が最近まで見ていたスポーツの番組がやっていないことに気づいた時に出たものである。このように直接的に得た、特に視覚に基づいた情報をもとに推定を行う時に-m̥ʐ が用いられている。(7)から(9)までの例は既に筆者の以前の研究(林 2009)で公開した作例によるものであるが、(6)と同様に、視覚に基づいた発話者の状況証拠による推定ではいずれも-m̥ʐ を自然に用いることができるという判断である。

2.4　Assumption

　結論から言えば、Assumption に相当するチノ語悠楽方言は迂言的な(periphrastic)形式であると言えるため、厳密には Aikhenvald(2004)のいう証拠性の体系には入らないだろう。しかし、他の証拠性表示の手法とのバランス、とりわけ Inference との関係性を考慮すると、同列に記述しておく意義はあると言える。

　チノ語悠楽方言では ŋɯ³³=ɛ⁴⁴ で推測を表すことができる。ŋɯ³³はコピュラ ŋɯ⁵⁵の声調が交替したものであり、これに元来は所有を表す後置詞である=ɛ⁴⁴ が後接して、この形式が成立している。[3]

---

[3] なお、=ɛ⁴⁴ が文末に現れる現象については Hayashi (2010a, 2010b), 林(2013)などを参照されたい。林(2013: 314)では ŋɯ³³=ɛ⁴⁴ tʃhʐ³³-a⁴⁴のような連続を許し、推定を表現する例についても示している。またコピュラ ŋɯ⁵⁵とモダリティなどとの関連性は Hayashi (2010a)を参照されたい。

(10)　a⁵⁵tʃen⁴⁴-m̩a⁵⁵=ɛ⁵⁵=la⁵⁵　　　　　　ŋɔ³³çɔ⁵⁵　**ŋɯ³³=ɛ⁴⁴**.

　　　アチェン(PSN)-PL-POSS=すなわち　500　　　COP=POSS

　　　「アチェン達の(部屋の賃料は毎月)500 元だろう。」

(11)　mɔ⁵⁵-sɯ⁵⁵=ɛ⁴⁴.　　　khɤ³⁵=the⁴⁴　　　je³⁵+ja⁵⁵　　**ŋɯ³³=ɛ⁴⁴**.

　　　NEG-知る=POSS　　3SG.OBL=COM　　行く+しまう　COP=POSS

　　　「(あの子はどこにいるのか)知らない。おそらく彼女とともに(出かけて)行ってしまったのでしょう。」

　(10)も(11)も自然発話からのデータである。(10)は発話者がアチェンたちの借りている部屋の情報を直接的に知っているわけではない。しかし、相場から推測して毎月500 元くらいではないかと見積もっている。(11)も発話者が確証をもっているわけではないが、いつもの様子から推測して発話者の子供がどんな用事で出かけているのかを見当をつけている。

　　一点注意したいのは、(10)(11)ともに=ɛ⁴⁴ が Assumption をより明示的に表現する機能を持つことである。(12)は作例データを示している。

(12)　a.　nə⁴²　　　　　　a⁵⁵xɔ⁴⁴　　**ŋɯ³³=ɛ⁴⁴**.

　　　　　2SG.NOM　　　漢族　　　COP=POSS

　　　　　「あなたはおそらく漢族だろう。」(EL)

　　　b.　nə⁴²　　　　　　a⁵⁵xɔ⁴⁴　　**ŋɯ³³-nœ⁴⁴**.

　　　　　2SG.NOM　　　漢族　　　COP-SFP

　　　　　「あなたは漢族だ。」(EL)

　(12)は発話者からすれば non-egophoric な情報である。しかし、発話者が相手の情報を知識として持っていた場合、(12b)のように言うのが自然なようである。一方で、(12a)は発話者の推測を表現している。

　　上記のほか、根拠が示され(う)るような推定には tʃhɤ³³ (-a⁴⁴)が用いられる。tʃhɤ³³ は本来「似ている」という類似性を表す動詞である。以下の例を見られたい。

(13)　tʃə⁴⁴+krə⁵⁵-kɔ⁴⁴=ɛ⁴⁴　　　　　**tʃhɤ³³-a⁴⁴**.
　　　　いる+歌う-PROG=POSS　似ている-SFP
　　　　「[誰かの歌声が遠くで聞こえるのを聞いて] (誰か)歌っているみたいね。」

(14)　lø⁵⁵　　　pe³³tɕiŋ⁵⁵=ɛ⁵⁵=la⁵⁵　　　lao³³tu⁵⁵　　　mɔ⁵⁵-luɯ³⁵-ŋa⁴⁴
　　　　あそこ　北京=POSS=すなわち　トゥーさん(PSN)　NEG-くる-Q
　　　　tʃhɤ³³-a⁴⁴.　　　mɔ³³-mjə³³-xa⁴⁴.
　　　　似ている-SFP　　NEG-見える-PFT
　　　　「あの北京のトゥーさんは(最近は)来ていないのではないか? 会わないし
　　　　ね。」

(15)　lao³³pan³³-ma̰⁵⁵　　ʃa⁵⁵ren³³　　ʃəu⁵⁵-mɤ³³-ma̰⁵⁵　　　u⁵⁵sɔ⁵⁵
　　　　社長-PL　　　　　　砂仁　　　集める-NML-PL　　　たった今
　　　　tjen⁵⁵xua⁵⁵　　　ta³³+la³³-mɛ³⁵.　　　　a⁵⁵ku³³　　pho³³+le⁴⁴=ɛ⁵⁵
　　　　電話　　　　　　NEG-見える-PFT　　ドア　　　開ける+行く=POSS
　　　　tʃhɤ³³-a⁴⁴.
　　　　似ている-SFP
　　　　「砂仁を買いに来ている社長さんたちがたった今電話をかけてきた。 (彼
　　　　らのホテルの部屋の)ドアを開けに行ったみたいだね。」

(16)　pao⁵⁵tʃə⁵⁵　　　　khɔ⁵⁵　　le⁵⁵+ja⁵⁵-jɔ⁴².　　mɔ³³-ji⁵⁵-tɔ⁴⁴=ɛ⁴⁴,
　　　　パオチャ(PSN)　どこ　　行く+しまう-Q　NEG-寝る-EXP-POSS
　　　　khɤ⁴².　　　　　tu³⁵+ja⁵⁵-kɔ³³-mɛ⁴⁴　　　　**tʃhɤ³³-a⁴⁴**.
　　　　3SG.NOM　　出る+しまう-PROG-PST　　　似ている-SFP
　　　　「パオチャはどこに行ってしまったのだろうか。(まだ)寝ていないだろう、
　　　　彼は。(外に)出かけてしまったようだ。」

　(13)は遠方でカラオケを熱唱する歌声が聞こえるのを発話参与者がともに聞いて
いる状態での発話である。また(14)から(16)はいずれも発話内部で推定の根拠が示さ
れている。(14)では「最近トゥーさんと会わないこと」、(15)は「社長さんたちが電話をか
けてきて、その場にいたホテルを取り仕切る人が出かけていったのを見たこと」、(16)
では「パオチャの平常の行動ではこの時間帯では寝ていないはずだということ」が発
話内部で示されている。これらは発話者の推定の根拠であると考えられる。

さらに、以下の(17)では、明確な根拠が発話内部で示されない例とも考えられる。これは発話者の知識からの推定であるとみなせる。

(17)　nɛ^{35}　　　khɤ^{35}　　　mɔ^{55}-tʃa^{35}　　**tʃhɤ^{44}-a^{44}-po^{42}**.

　　　2SG.OBL　　あそこ　　　NEG-ある　　似ている-SFP-CFM

　　　「あなたの(泊まっている宿の)あそこでは(電灯が)おそらくないでしょうね。」

2.5　Reported/ Hearsay

　一般にチノ語悠楽方言では文末に -je^{44} ～ -je^{42} を文末助詞の最後に置くことで、Aikhenvald (2004)の分類における "reported"に相当するものを表示する。[4] 以下の例を見られたい。なお、ここでは reported と hearsay を区別せず、グロスも HS と記す。

(18)　pao^{55}lə^{55}　　　　a^{55}ŋə^{55}=lœ^{44}　　　mɔ^{55}-va^{35}-**je^{42}**.

　　　パオレ(PSN)　　3SG.OBL=も　　NEG-巻く-HS

　　　「パオレは (この前子供を産んだばかりだけれど、頭にターバンを)巻かないらしいよ。」

(19)　jo^{33}ɱɛ^{55}　　tʃhuan^{33}-mɛ^{35}　　　　　mɔ^{55}-ja^{55}+mɤ^{55}+jɔ^{44}-a^{44}-**je^{42}**.

　　　猫　　　伝染病にかかる-NML　　NEG-治す+よい+できる-SFP-HS

　　　「猫でも伝染病にかかったのはもう治せないそうだね。」

(20)　ji^{55}ʃi^{55}　　jo^{33}ɱa^{55}　　pa^{55}kha^{42}-ɱa^{55}=the^{44}　　　thi^{33}to^{35}

　　　昔　　　3PL.NOM　　パカー(PLN)-PL=COM　　一緒に

　　　ŋuɯ^{33}-mɛ^{35}-**je^{42}**.　　　zu^{33}+phi^{42}-mɛ^{44}.

　　　COP-PST-HS　　　歩く+なくす-PST

　　　「昔、彼ら(補遠人)はパカー人と一緒にいたそうだよ。(しかし、その後)別れてしまった。」

---

[4] 林(2009)では「モーダル助詞」の一種として位置付けていた。

(21)　sɛ⁵⁵pə⁴⁴-m̩a⁵⁵　　u⁵⁵pø⁴⁴pø⁴⁴+ja⁵⁵-nœ⁴⁴-**je⁴²**.

セパ(PSN)-PL　　妊娠する+しまう-SFP-HS

「セパたちのところは妊娠したそうだね。」

(22)　ja⁵⁵khu⁴⁴=a⁵⁵=lœ⁴⁴　　m³³-nə³⁵-m̩ə³⁵-a⁴⁴-**je⁴⁴**.

タバコ=UG=も　　CAUS-くっつく-BEN-SFP-HS

「(街中の悪い連中と遊んで油断していたらあいつらは) タバコの上に(ヘロインを)載せて(吸わせ)るらしいね。」 (林 2009: 123, グロスを一部修正)

　(18)から(22)の例はいずれも発話者が誰かから聞いた内容であることを示している。「パオレがターバンを頭に巻かないこと⁵」「猫の伝染病は治せないこと」「自分たちの村人(パカー人)は補遠人とある時期まで同じコミュニティにいながら、その後別れて暮らすようになったこと」「セパたち夫婦に子供が生まれそうだということ」「悪人がタバコにヘロインを載せて吸わせること」は発話者が他者から聞いた内容であるが、情報源を発話内で明らかにしていない。その時に文末に-je⁴⁴～-je⁴²が用いられるということである。この点が 2.6 で述べる Quotative と異なる。

2.6　Quotative

　引用については[引用節]=ɛ⁴⁴ m³³-SFP という構文を用いて表示する。この=ɛ⁴⁴は 2.4 で見たとおり、名詞句に後接した時、所有を元来表す。一方、引用節の末尾にも生起し、補文標識(Complementizer, COMP)としても機能する。m³³は「言う」を表す動詞である。例によっては m⁵⁵ でも現れる。例によっては SFP の代わりに、テンスを表す接尾辞が生起することもある。

　2.4 でみた Assumption 同様、これもいわゆる迂言的な手法によることから、厳密には証拠性の体系から外れるかもしれない。しかし、Reported/ Hearsay との対比の観点からも、同列に記述しておくことに意義はあろう。

---

⁵ チノ族の伝統的な習慣では出産後すぐの母親は頭にターバンを巻く。

(23) ji⁵⁵ʃi⁵⁵   [luɯ³³-me³⁵]⊧ɛ⁴⁴   m̥⁵⁵-mɛ⁵⁵,   mɔ⁵⁵-luɯ⁴⁴-a⁴⁴.
      昔   来る-FUT=COMP   言う-PST   NEG-来る-SFP
      「昔 (あの親戚は)「(こっちに)来るつもりだ」って言っていたけど、(これま
      で)来ていない。」

(24) ji⁵⁵m̥jɔ⁵⁵   ʃi⁵⁵m̥jɔ⁵⁵   mi³³tha⁵⁵   pu³⁵po³³-a⁴⁴   xo⁵⁵-mɤ⁵⁵
      去年   一昨年   雨   とてもひどく-PART   降る-REL
      je³³-mɛ³⁵.   nɔ⁴²   [lɔ³³+khrɔ⁵⁵-mɛ⁴²]⊧ɛ⁴⁴   m̥⁵⁵-a⁵⁵.
      行く-PST   2SG.NOM   転ぶ+落ちる-PST=COMP   言う-SFP
      「去年か一昨年、雨がとてもひどく降っていた時に、(茶摘みに)行って、
      あなたは「(茶摘みからの帰り道にツルツルになった土の坂を) 転げ落
      ちた」って言っていた。」

(25) pao⁵⁵koŋ⁵⁵tɤi⁵⁵- m̥a⁵⁵   xu³³nan³³-m̥a⁵⁵   [ʃi³³çɔ⁵⁵]⊧ɛ⁴⁴   m̥⁵⁵-mɛ⁵⁵
      請負業者-PL   湖南-PL   700=COMP   言う-PST
      tʃhɤ³³-a⁴⁴.
      似ている-SFP
      「請負業者たち、湖南人たちは『(月々払っている部屋代が)700(元)だ』と
      言っていたようだ。」

(26) khɤ⁴²   m³³-a⁴⁴   ŋuɯ³³-xɔ⁴²,   [çi³⁵
      3SG.NOM   要る-PART   COP-SBRD   ここ
      tho⁵⁵-nu⁵⁵+lɔ⁴²]⊧ɛ⁴⁴   ŋɔ⁴²   khɤ³³-lo³³   m³³-mɛ³⁵.
      PROH-戻る+来る=COMP   1SG.NOM   それ-ように   言う-PST
      「(もし)彼が(彼女を結婚相手として)必要だと言うなら、「ここには戻ってく
      るな」と、私はそう言ったのです。」

  (23)から(26)はいずれも Aikhenvald (2004)の意味変数で言えば、Quotative に相当
するものである。いずれの例も発話内部に別の発言(例文中では [ ]で表示)が現れて
いるが、(23)を除いて、発言者が誰であるかも明示されている。

_____

⁶ (25)は Quotative の外側に tʃhɤ³³-a⁴⁴ が置かれ、Assumption の意味も表出していることに注意さ
れたい。

多くの場合、=ɛ⁴⁴で表示された引用節とm̩³³-SFP の間は隣接する。しかし、(26)にみるように、両者は別の要素("ŋɔ⁴² khɹ³³-lo³³")が挿入されうる。この例はこの構造の分析性を明示的に示している。

2.7　小結：　チノ語悠楽方言の証拠性戦略の類型論的位置付け

以上、Aikhenvald (2004, 2014)の意味変数に基づき、チノ語悠楽方言の証拠性戦略について記述を試みた。本言語において、文法範疇として証拠性をどの程度評価すべきであるのかは難しいところもある。特に問題となるのは Assumption と Quotative である。前者は Inference との区別が若干難しい上に、Assumption の範囲に複数の分析的な表現形式が混在している。これに対し、Quotative は分析性の程度が著しいものの、Reported との区別が明確で、表現形式も固定的である。この状況に鑑みると、チノ語悠楽方言の証拠性類型は Aikhenvald (2004)の枠組み(1.4 の表 2 を参照)における C_3 の亜種として位置づけられるのが適当ではないかと考えられる。

3　おわりに：　チベット・ビルマ諸語の比較研究の展望をそえて

チノ語と同系言語となるチベット・ビルマ諸語においては、特にヒマラヤ地域の言語を中心に事態認識の文法範疇の区別に関する研究がこれまでも盛んであった。とりわけチベット語では動詞述部・助動詞の形式との関係性を議論する研究がこれまでにも多数あり(湯川 1971, 金 1979, 武内 1990, 星 1998 など)、また他方ネパールのネワール語を扱った Hale (1980)を嚆矢とする conjunct-disjunct の議論が広く展開された。[7]加えて、チノ語と同じチベット・ビルマ諸語ロロ・ビルマ語支のアカ語(Akha)は、同語支内では比較的早期に証拠性の問題に言及した記述が現れていたが(Egerod 1985, Thurgood 1986, Hansson 2003 など)、Hale (1980)の conjunct-disjunct のパラメータと視覚・聴覚のパラメータを融合させたシステムを採用している。

1980 年代後半以降からはヒマラヤ地域だけでなく世界的に証拠性の分析の隆盛を見ることとなっている。特に Chafe & Nichols (1986) や Aikhenvald (2004)などは証拠

---

[7] 中国四川省のダパ語メト方言を扱った白井(2006)も conjunct-disjunct の議論を導入して、当該言語の視点表示システムの問題を研究している。ダパ語は証拠性の分析というよりも「発話者の視点が置かれるか否か」をベースに分析することがふさわしいと考えられている。

性の問題を言語学界に広く意識させるのに貢献したと考えられる。チベット地域から
は DeLancey (2001)が驚嘆性 (mirativity)が提唱され[8]、他言語の記述にも影響を与え
てきた。

　以上の流れの中から Aikhenvald (ed.) (2014)は世界の少数言語の証拠性体系を各
専門家が記述したものを集めている。この中でチベット・ビルマ諸語は Hyslop (2014)
によるブータンのクルテップ語(Kurtöp)と Zhang (2014)の手になる中国四川省のアル
ス語(Ersu, 尔苏语)が収められている。後者の Zhang (2014)は Aikhenvald (2004)の枠
組みからアルス語の証拠性体系を分析し、アルス語も結果として C_3 のタイプであると
している。

　他方、近年チベット・ビルマ諸語研究において注目されるのは Tournadre &
LaPolla (2014)による「証拠性の再定義」である。従来、証拠性は情報の典拠に焦点を
当てた文法範疇であるとされてきた。これに対し、Tournadre & LaPolla (2014)の考えで
は、「証拠性」は「発話者の観点や戦略にしたがった情報への典拠とアクセスの表示」
("the representation of source and access to information according to the speaker's
perspective and strategy")であるとしている。この定義に従ってチベット語ラサ方言を分
析した Oisel (2017)はコントロール動詞に限定して証拠性の範疇を取り扱っている。そ
こで取り扱われている意味変数は egophoric, sensorial, factual, inferential, mnemic, self-
corrective となっており、Aikhenvald (2004, 2014)で扱われた意味変数と大きく異なって
いることが特徴的である。ここで用いられる egophoricity という概念は他方 Hale (1980)
を塗り替える新しい枠組みとして支持を集めてきているようである。[9]

　Tournadre & LaPolla (2014)の枠組みは情報に対するアクセスの表示という点で、

---

[8] DeLancey (2001)によると、驚嘆性はバルカン言語学や北部アメリカ諸語などの地域的な特徴
として指摘されてきたが、20 世紀末になり世界的に広く分布することが認知されるようになったと
している。他方、Hill (2012)のように文法範疇として認めなくて良いとする議論もある。
　中国でも証拠性や驚嘆性に関する議論が少しずつながら出てきている。広東語の分析を行
った Matthews (1998)が初期の研究のようであるが、最近でも林・黄 (2018)による驚嘆性に関す
る整理などがある。また特に中国語によるチベット・ビルマ諸語研究でも「示证范畴(evidentiality)」
の記述は少量ながらも芽吹いており、「亲见 (visual)」や「亲知 (direct)」「拟测 (assumption)」など
の用語が参照文法でも用いられている(邵 2018, 宋ほか 2019 など)。
[9] egophoricity に関する議論や各言語の記述については Floyd et al. (2017)が近年刊行されてお
り、研究が進展してきていることが窺える。同書では 4 つのチベット・ビルマ系言語(カトマンドゥ・
ネワール語、クルテップ語、シェルパ語、ヨンニン・ナ語)の記述が収められている。

Aikhenvald (2004, 2014)の見方よりもさらに複合的なファクターを導入している。どちらの方が個別の言語の記述ないし類型論的な対比に有用であるかは現時点では不明ではある。しかし、今後本分野の研究がますます進展することだけは確実であろう。チノ語をはじめとするいくつかの言語の記述を試みる筆者としては、自然な例に対する注意深い分析を今後とも心がけてゆきたい。

略号一覧

ACP: 完遂, AUX: 助動詞, BEN: 受益, CAUS: 使役, CFM: 確認, CLF: 類別詞, COM: 共同格, COMP: 補文標識, COP: コピュラ, EL: エリシテーションのデータ, EMPH: 強調, EXP: 経験, FUT: 未来, HS: 伝聞, INFER: 推定, NEG: 否定, NML: 名詞化標識, NOM: 主格, OBL: 斜格, PART: 助詞, PFT: 完了, PL: 複数, PLN: 地名, POSS: 所有格, PROG: 進行, PROH: 禁止, PSN: 人名, PST: 過去, Q: 疑問, REL: 関係節標識, SBRD: 従属節標識, SFP: 文末助詞, SG: 単数, UG: 動作の受け手

参考文献

Aikhenvald, Alexandra (2004) *Evidentiality.* Oxford: Oxford University Press.

Aikhenvald, Alexandra (2014) The grammar of knowledge: a cross-linguistics view of evidentials and the expression of information source. In Alexandra Aikhenvald (ed.), *The Grammar of Knowledge.* pp. 1—51. Oxford: Oxford University Press.

Aikhenvald, Alexandra (ed.) (2014) *The Grammar of Knowledge.* Oxford: Oxford University Press.

Boas, Franz (1938) Language. In Franz Boas (ed.), *General Anthropology.* pp. 124-145. Boston, New York: D.C. Heath and Company.

Chafe, Wallace and Johanna Nichols (1986) *Evidentiality: The Linguistic Coding of Epistemology.* (Volume XX in the Series *Advances in Discourse Processes*) Norwood: Ablex Publishing Corporation.

DeLancey, Scott (2001) The mirative and evidentiality. *Journal of Pragmatics.* 33: 369—382.

Egerod, Søren (1985) Typological Features in Akha. In Graham Thurgood, James A. Matisoff and David Bradley (eds.), *Linguistics of the Sino-Tibetan Area* (Pacific Linguistics Series C-No.87.) pp. 96—104. Canberra: The Australian National University.

Floyd, Simeon, Elisabeth Norcliffe and Lila San Roque (ed.) (2017) *Egophoricity.* John Benjamins.

盖兴之 (1986) 《基诺语简志》 北京：民族出版社.

盖兴之 (1987) 《基诺语句子的语气》《民族语文》1987 年第 2 期: 29—36.

Hale, Austin (1980) Person markers: Finite conjunct and disjunct verb forms in Newari. In R. Trail (ed.), *Papers in South-East Asian Linguistics 7*: 95—106. (Pacific Linguistics Series A, No. 53.) Canberra: The Australian National University.

Hansson, Inga-Lill (2003) Akha. In Graham Thurgood and Randy J. LaPolla (eds.), *The Sino-Tibetan Languages.* pp. 236—251. London and New York: Routledge.

林範彦 (2009)『チノ語文法(悠楽方言)の記述研究』神戸: 神戸市外国語大学外国学研究所.

Hayashi, Norihiko (2010a) A Brief Description of the Youle Jino Copula.『アジア言語論叢 8』pp. 1-25. 神戸: 神戸市外国語大学外国学研究所.

Hayashi, Norihiko (2010b) The so-called possessive marker in Youle Jino. In Dai Zhaoming and James A. Matisoff (eds.), Forty Years of Sino-Tibetan Language Studies (《汉藏语研究四十年》). pp. 153-167. Harbin: Heilongjiang University Press.

林範彦 (2013)「チノ語悠楽方言の文の種類」澤田英夫(編)『チベット＝ビルマ系言語の文法現象 2: 述語と発話行為のタイプからみた文の下位分類』pp. 283—319. 府中: 東京外国語大学アジア・アフリカ言語文化研究所.

Hill, Nathan (2012) 'Mirativity' does not exist: ḥdug in 'Lhasa' Tibetan and other suspects. *Linguistic Typology* 16.3: 389—433.

星泉 (1998)「チベット語ラサ方言の述語動詞 yon の意味」『言語研究』113: 63—95.

Hyslop, Gwendolyn (2014) The grammar of knowledge in Kurtöp: evidentiality, mirativity, and expectation of knowledge. In Alexandra Aikhenvald (ed.), *The Grammar of Knowledge.* pp. 109—131. Oxford: Oxford University Press.

Jacques, Guillaume (2018) Non-propositional evidentiality. In Alexandra Aikhenvald (ed.),

The Oxford Handbook of Evidentiality. pp. 109—123. Oxford: Oxford University Press.

蒋光友 (2010) 《基诺语参考语法》 北京：中国社会科学出版社.

金鹏（1979）《论藏语拉萨口语动词的特点与语法结构的关系》《民族语文》1979 年第 3 期. [转载于 金鹏 (2002)《金鹏民族研究文集》pp. 147—164. 北京：民族出版社.]

林青、黄劲伟 (2018) 《惊异范畴："未预期信息"的语法化标记》《汉藏语学报》第 10 期： 110—126.

Matthews, Stephen (1998) Evidentiality and mirativity in Cantonese: wo3, wo4, wo5! Paper presented at the Sixth International Symposium on Chinese Languages and Linguistics (Academia Sinica, July 1998). [Downloadable at Academia.edu]

Oisel, Guillaume (2017) Re-evaluation of the evidential system of Lhasa Tibetan and its atypical functions. *Himalayan Linguistics.* 16): 90—128. [DOI: https://doi.org/10.5070/H916229119]

邵明圆 (2018) 《河西走廊濒危藏语东纳话研究》 广州：中山大学出版社。

白井聡子 (2006)「ダパ語における視点表示システムの研究」京都大学博士論文.

宋成、谢颖莹、李大勤、李佐文 (2019) 《西藏察隅松林语》 北京：商务印书馆。

武内紹人 (1990)「チベット語の述部における助動詞の機能とその発達過程」崎山理・佐藤昭裕 (編)『アジアの諸言語と一般言語学』pp. 6—16.東京：三省堂.

Thurgood, Graham (1986) The Nature and Origins of the Akha Evidentials System. In Wallace Chafe and Johanna Nichols (eds.), *Evidentiality: The Linguistic Coding of Epistemology.* (Volume XX in the Series *Advances in Discourse Processes*) pp. 214—222. Norwood: Ablex Publishing Corporation.

Tournadre, Nicolas and Randy LaPolla (2014) Towards a new approach to evidentiality: Issues and directions for research. *Linguistics of the Tibeto-Burman Area* 37.2: 240—262.

湯川恭敏 (1971)「チベット語の述語の輪郭」『言語学の基本問題』pp. 178—204. 東京: 大修館書店.

Zhang, Sihong (2014) The expression of knowledge in Ersu. In Alexandra Aikhenvald (ed.),

The Grammar of Knowledge. pp. 132—147. Oxford: Oxford University Press.

研究発表応募規定

I 発表資格、発表内容、発表形態

1. 発表者は応募および発表の時点で会員でなければなりません。(研究発表の申し込みと同時に本研究会への入会も申し込めます。) 非会員も共同研究者としてプログラムに名前を載せることができますが、実際に発表を行うのは会員に限ります。

2. 発表内容は未発表の研究に限ります。発表テーマは「屈折・膠着・複統合・孤立」といった語形態に基づく言語類型から SOV の基本語順、さらに「主題」「受動構文」「使役構文」「名詞修飾節」など「構文」に関する、形態統語的観点や意味・語用論的観点、機能的観点からの研究で、広く諸言語の類型論的研究への貢献を目的とする研究とします。

3. 発表形態は口頭発表とし、使用言語は原則日本語とします。(持ち時間 35 分。うち発表 20 分、質疑応答 15 分)

II 応募要領および採否

4. 発表希望者は、次の①と②の書類(MSWord および PDF)を e-mail の添付ファイルで下記の大会委員長宛に送ってください。(応募後、締切りまでに受け取り確認の連絡がない場合は、再度大会委員長に連絡してください。)
① 「発表要旨」 A4用紙2枚以内(日本語の場合 800 字程度。英語の場合は 500 word 程度。主要な参考文献(字数外)を含めてください。ただし個人が特定できる情報は記入しないこと。)
② 「個人情報」 A4用紙1枚(氏名、ヨミガナ、所属・身分、発表タイトル、電話番号、e-mail アドレス、使用機器の希望。)

5．発表要旨には、必ず結果・結論を盛り込んで下さい。「このような調査を行う予定である」というようなものは要旨とは呼べません。結論が出た研究のみ、応募することができます。また、個人の特定につながる情報（「拙著」など）は避けて下さい。

6．本文で言及した論文および発表に重要な関連を持つ先行研究などがある場合は発表要旨にその文献を挙げてください。上記に該当する文献がない場合は，要旨の最後に「引用文献なし」と明記してください。

文献を挙げる際には以下の情報を入れてください。
著者名，出版年，論文名，雑誌名／書名，号数，出版社名　　（例）教育花子（2009）「英語のオノマトペ」『世界のオノマトペ』〇×出版

※ 応募者自身の論文であっても，発表の内容に関係する場合には引用してください。その際，次のような言及の仕方をすることによって，執筆者が特定されないようにしてください。
（例）〇田中（2010）で｛述べられている／指摘されている｝ように，…
　　　×田中（2010）で｛述べた／指摘した｝ように，…
（「＜論文名＞で～したように，」という表現は（執筆者が特定できるので）使わないでください。）
※ 応募時において公刊されている文献のみを挙げてください（応募時において「印刷中」「投稿中」などの文献は挙げないでください）。

7．採否は応募者名を伏せて大会委員会で審議し、その結果を大会委員長から応募者に e-mail で通知します。不採用の理由については照会に応じません。

8．採否通知の際に、大会委員会の判断で発表題目や内容について助言することもあります。

III　採用後から発表まで

9．採用後に各研究会の担当委員をお知らせしますので、担当委員と連絡を
　　取り合いながら発表の準備を進めてください。

10．本研究会では予稿集は作りませんので、各自レジュメを用意してきてく
　　ださい。50 部ほど必要です。

会誌投稿規定

I　投稿資格、投稿論文の内容と形態

1．　投稿者は、投稿する時点で会員でなければならない。（投稿と同時に本研究会への入会を申し込むこともできる。）

2．　投稿論文の内容は、「屈折・膠着・複統合・孤立」などの形態法、SOVなどの基本語順、「主題」「受動構文」「使役構文」「名詞修飾節」などの構文を含めた、諸言語の類型論的研究への貢献を目的とする研究で、未発表原稿に限る。また編集委員が特集を企画し特集論文を募集することがある。

3．　投稿論文の使用言語は日本語または英語とする。論文の分量については、図表を含め 34 字×30 行で 20 ページ程度を目安とする。

II　投稿の時期、方法及び宛先

4．　投稿は、1 年中受けつける。ただし、次号に掲載されるための締切は 8 月末日とする。

5．　投稿の方法は、e-mail 送信とし、e-mail の本文において、必ず会員であることを書き添える。また、投稿論文の規格は、以下のとおりである。
- ・用紙サイズ：A 5
- ・余白：上：16mm、下：13mm、右：17mm、左：17mm
- ・本文：34 字×30 行、明朝 10p
- ・タイトル：ゴシック 12p（英訳も必要）
- ・氏名：ゴシック 11p（名字と名前の間に 1 文字分の空白を入れる）
- ・「要旨」「キーワード」の文字：ゴシック 10.5p
- ・要旨、キーワードの本文：明朝 9p
- ・節の番号：0、1、2…（半角ゴシック 10.5p）
- ・節の下位番号：1.1、1.1.1…（半角ゴシック 10p）
- ・「参考文献」「引用文献」の文字：ゴシック 10.5p

・参考文献、引用文献の本文：明朝 10p

・注は脚注とし、明朝 9p とする

6．　投稿の宛先は、次のとおりである。また、件名の最初に「投稿原稿」
をつけること。

ebata@human.niigata-u.ac.jp　（江畑冬生のメールアドレス）

Ⅲ　投稿論文の審査

7．　投稿論文の採否は、編集委員の権限とする。

8．　審査結果は投稿論文を受理してから、3 か月以内に通知する。

「言語の類型的特徴対照研究会」顧問・理事名簿（50 音順）

顧問：

角道　正佳

鈴木　泰

仁田　義雄

益岡　隆志

村木　新次郎

理事：

江畑冬生（会誌編集委員会委員長）

金善美

栗林裕

清水政明（大会運営委員会委員）

ジャヘドザデ

千田俊太郎

張麟声（代表理事）

林範彦

堀江薫（学術連携委員会委員長兼大会運営委員会委員）

峰岸真琴（副代表理事兼大会運営委員会委員長）

宮岸哲也

編集後記

　「言語の類型的特徴対照研究会」論集第 3 号をお届けいたします．本号には，証拠性および自己性に関わる特集論文が 7 編収録されています．ここに取り上げた 7 つの言語は，いずれも SOV を基本語順としています．残念ながら，投稿論文はありませんでした．本論集の刊行は，以下のスケジュールにより行われました．編集作業が滞ったため，当初の予定よりも刊行が大幅に遅れましたことを深くお詫びいたします．

2020 年 6 月 30 日	エントリー
2020 年 8 月 15 日	投稿論文（査読有）締切
2020 年 8 月 31 日	特集論文締切
2021 年 3 月 12 日	刊行

　本論集の編集作業にあたって，神戸市外国語大学の林範彦先生と新潟大学大学院の趙蓉俊子氏の助けがあったことに感謝いたします．次号以降に関しても，同様のスケジュールにより原稿募集をしていく予定です．会員のみなさまの積極的な投稿をお待ちしております．

2021 年 3 月 8 日

会誌編集委員会委員長　江畑　冬生

言語の類型的特徴対照研究会論集
第 3 号

2021 年 3 月 20 日　初版第 1 刷発行

編著者　　言語の類型的特徴対照研究会
発行者　　関　谷　一　雄
発行所　　日中言語文化出版社
　　　　　〒531-0074 大阪市北区本庄東 2 丁目 13 番 21 号
　　　　　ＴＥＬ　０６（６４８５）２４０６
　　　　　ＦＡＸ　０６（６３７１）２３０３
印刷所　　有限会社 扶桑印刷社
